Cactus

y otras suculentas

› Descripción de más de 120 especies

› Guía paso a paso para obtener unos magníficos resultados

MATTHIAS UHLIG

HISPANO EUROPEA

Índice

1

Planificación

Así viven los cactus y especies afines

Los cactus y las demás crasas o suculentas son plantas adaptadas a la supervivencia en lugares muy secos. Sus reservas de agua les duran muchos meses y su epidermis las protege de la deshidratación. Estas adaptaciones a los ambientes tórridos y a los largos períodos de sequía les han proporcionado una riqueza de formas realmente excepcional.

Los lugares áridos no son tan hostiles a la vida como podría parecer a simple vista. Son el hábitat de un fascinante mundo vegetal capaz de soportar la dureza del sol y una permanente escasez de agua. Entre esta flora encontramos a las suculentas: plantas con reservas de agua que son capaces de aprovechar y almacenar cada gota del líquido elemento. Algunas se alzan como verdaderos monumentos del tamaño de árboles en medio de las infinitas llanuras, mientras que otras viven casi ocultas entre las arenas del desierto y tienen el aspecto de piedras.

Y cuando, después de meses de espera, llegan finalmente las lluvias, adquieren un aspecto frágil y delicado cubriéndose de flores en una verdadera explosión de colorido.
En latín, *succus* significa «zumo» o «jugo», por lo que la denominación de este grupo de plantas hace referencia a sus tejidos carnosos y jugosos.
Muchas plantas suculentas, llamadas también plantas crasas, están protegidas por espinas, carecen de hojas y poseen una cobertura de cera que las protege de la deshidratación. Además, y al contrario de lo que sucede con las demás plantas, asimilan el dióxido de carbono que necesitan realizando la fotosíntesis por la noche. Así, al realizar el intercambio gaseoso reducen la pérdida de agua al mínimo.

Un éxito evolutivo

Todas las especies de cactus son suculentas, pero no todas las suculentas son cactus. Además de las cactáceas, también son suculentas las plantas de otras familias tales como las euforbiáceas y las crasuláceas. Todas ellas poseen adaptaciones similares al medio árido a pesar de que pertenecen a grupos muy distintos. Es un fenómeno que en biología se denomina convergencia.
Con una única excepción, las cactáceas son exclusivas del continente americano. El resto de las suculentas están distribuidas por las regiones calurosas y secas de todos los continentes, excepto Australia. Incluso encontramos especies en las áridas y abruptas laderas de los Andes y del Himalaya.

En tiempo de sequía, Fouquieria columnaris *se desprende de las hojas de los extremos del tallo, como podemos ver en este lugar de Baja California, México.*

Procedencia y distribución

La inmensa mayoría de las suculentas son propias de las regiones desérticas y semidesérticas de América y África. Pero las encontramos en casi todas las regiones cálidas y secas del mundo.

Existen muchas plantas que se han adaptado a vivir en condiciones climáticas muy extremas, desde el frío glaciar de las regiones polares hasta el calor abrasador de los trópicos. Pero además del calor hay otro factor que limita mucho su crecimiento: el agua. Pocas especies son capaces de colonizar territorios en los que pueden pasar meses o años sin que llueva. Las regiones desérticas y semidesérticas de la Tierra ocupan una amplia franja de los trópicos a ambos lados del ecuador. Aunque suponen casi un tercio de la superficie emergida, a simple vista no parecen un lugar muy acogedor. Pero las plantas han sido capaces de colonizar incluso estos nichos ecológicos desarrollando su capacidad para almacenar agua.

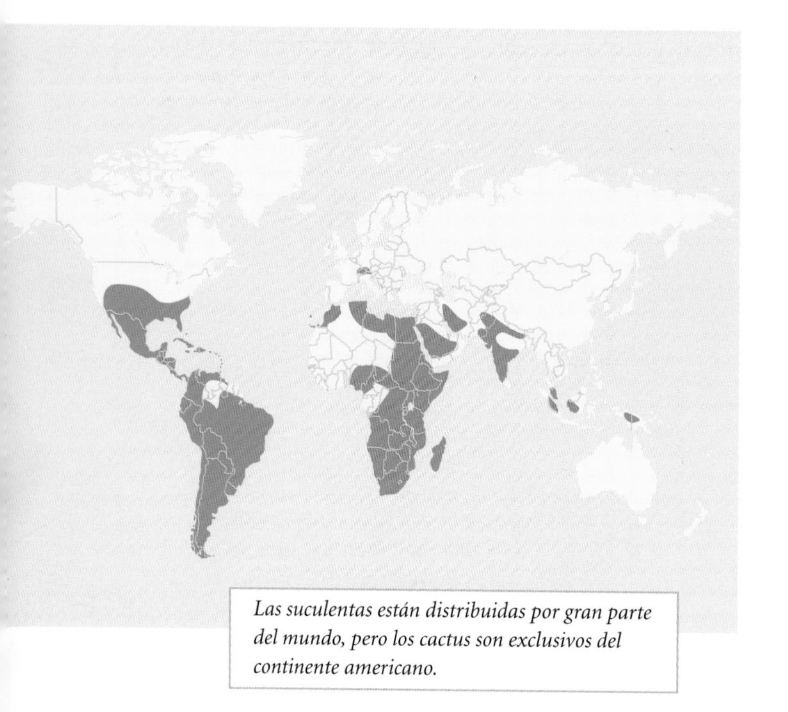

Las suculentas están distribuidas por gran parte del mundo, pero los cactus son exclusivos del continente americano.

Darwin ya lo observó

Las plantas capaces de almacenar agua para sobrevivir en las regiones áridas pueden tener una apariencia muy similar y pertenecer sin embargo a familias muy distintas. Este fenómeno, conocido en biología como convergencia, como hemos citado anteriormente, se produce cuando organismos pertenecientes a grupos muy distintos desarrollan las mismas estrategias para adaptarse a unas mismas condiciones ambientales. Un buen ejemplo de evolución convergente lo tenemos en el falso peyote de (*Astrophytum asterias*), la euforbia sudafricana (*Euphorbia obesa*) y la asclepiadácea de Namibia *Larryleachia cactiformis* (*Trichocaulon cactiforme*). Las tres especies han evolucionado de forma similar para poder conservar reservas de agua en los ecosistemas áridos en los que viven, y en los que las precipitaciones no llegan a compensar la evaporación.
Las barreras geográficas como los océanos y las cordilleras no impiden la aparición de diferentes especies de suculentas, pero sí la propagación de las especies en sí.
Entre las suculentas encontramos por ejemplo a

A pesar de tener una forma similar, no les une ningún parentesco: Larryleachia cactiformis *(izquierda),* Euphorbia obesa *(centro),* Astrophytum asterias *(derercha).*

toda la familia de las cactáceas, cuya distribución está limitada al continente americano, así como a algunos géneros de la familia de las euforbiáceas. En las regiones semidesérticas de Australia vive un gran número de plantas xerófitas, es decir, arbustos espinosos adaptados al medio árido, pero no hay verdaderas suculentas. Es probable que en su distribución también influya la falta de competidores. Este mismo fenómeno parece haber favorecido la distribución de las suculentas en Madagascar (como por ejemplo *Pachypodium*, *Kalanchoë*, *Aloe* y *Adansonia*), mientras que éstas son mucho menos abundantes en las regiones continentales (por ejemplo Níger) con unas condiciones climáticas similares.

Limitación territorial

Como ya hemos indicado anteriormente, la distribución de las cactáceas se limita casi exclusivamente al continente americano; la mayor diversidad de especies se encuentra en las regiones áridas de México, América Central y América del Sur. Solamente hay una cactácea –la disciplinilla *Rhipsalis bacci*– que vive tanto en las regiones subtropicales de América como en el Viejo Mundo. Es probable que sean las aves las que se hayan encargado de llevar los pequeños frutos de este cactus hasta África y Sri Lanka. Los cactus también forman parte del paisaje del suroeste de Estados Unidos (estados de California, Arizona y Texas), y el área de distribución de algunas especies incluso llega hasta Canadá. En Estados Unidos también encontramos muchos agaves y plantas de hojas carnosas como las de los géneros *Dudleya* y *Sedum*, pero ninguno de estos vegetales pertenece a la familia de las cactáceas.

Suculentas cosmopolitas

Con excepción de las cactáceas, el 90% de las suculentas viven en el Viejo Mundo, especialmente en el sur de África. Las plantas crasas europeas como *Sedum* y *Sempervirum* viven en las laderas secas y calurosas, mientras que *Caralluma europaea* es propia de las regiones mediterráneas del sur de Europa. Estas regiones también han sido colonizadas por las chumberas (*Opuntia*) y los agaves traídos de América por los primeros descubridores.

Información

ATRACTIVOS PERO PROTEGIDOS

En sus lugares de origen, las suculentas suelen tener un aspecto muy atractivo, y no sólo para los aficionados a los que les gustaría traerse algún ejemplar al regresar de sus vacaciones, sino también para los comerciantes que ven en ellos una posibilidad de negocio. Pero muchos de ellos no saben que todas las cactáceas, así como muchas euforbiáceas y otras suculentas, están incluidas en el Convenio de WYD para las Protección de las Especies, que es el que regula la importación y exportación de especies amenazadas así como su comercialización.

Hábitats de condiciones extremas

Para elegir el lugar de la casa que sea más adecuado para los cactus y similares habrá que empezar por saber cuáles son las condiciones de sus lugares de origen. Sólo así podremos proporcionarles un ambiente adecuado.

Las suculentas son plantas que necesitan mucho sol. Viven en desiertos, estepas, sabanas y otros biotopos áridos. Las encontramos en zonas pedregosas, mesetas a pleno sol, suelos arenosos, e incluso en las copas de los árboles. Son lugares en los que el agua de lluvia dura muy poco, discurre sobre las superficies rocosas y es absorbida inmediatamente por el suelo.

El agua, fuente de la vida

En las zonas áridas de las regiones tropicales, se evapora más agua de la que cae en forma de lluvia, rocío o niebla. Para las plantas, esto significa que han de subsistir con una pluviometría de apenas unos milímetros al año.

Cada gota cuenta

En los desiertos, la gran diferencia entre las temperaturas diurnas y las nocturnas hace que la humedad del aire se condense por la noche, pero esto tampoco significa que se vayan a alcanzar unas precipitaciones anuales superiores a 50-250 mm. En el desierto de Atacama (Chile) y en el del Namib (Namibia) no llueve prácticamente nunca, por lo que la principal fuente de humedad para las suculentas es la niebla que se forma sobre el mar.

Captación de agua

Pero esto no quiere decir que los cactus y demás suculentas prefieran la sequía extrema. Al contrario: solamente alcanzan su máximo esplendor cuando disponen de un buen aporte de agua, lo único que no toleran sus sensibles raíces es el agua estancada. Pero en las regiones lluviosas su lento crecimiento las hace estar en inferioridad de condiciones respecto a otras plantas, y la falta de luz también las perjudica mucho. Las especies europeas de *Sempervirum* producen tallos finos, débiles y alargados cuando viven entre las hierbas de los prados de montaña, mientras que en las laderas rocosas forman colonias densas y compactas. En esos lugares secos, su capacidad para retener agua les proporciona una gran ventaja respecto a sus competidores: disponer siempre del agua necesaria. Un saguaro de 15 m de altura puede almacenar tranquilamente 2.000-3.000 litros de agua.

A pleno sol

Una de las características de las regiones áridas es que carecen de

Sugerencia

PULVERIZAR CON FRECUENCIA

A los cactus y demás suculentas les sientan muy bien todo tipo de precipitaciones. Las gotitas de rocío también son una buena fuente de humedad. Y lo que en la naturaleza es cuestión de supervivencia, en casa puede significar un mayor bienestar. A estas plantas les sienta muy bien una ducha con el pulverizador, especialmente durante los meses más calurosos del año.

un recubrimiento cerrado. Las plantas están bastante separadas entre sí y se dan muy poca sombra. Dado que la nubosidad es muy escasa, están expuestas a pleno sol durante todo el año. La falta de humus y de lluvia no permite que se forme un sustrato apropiado, por lo que las plantas suelen sujetar sus raíces directamente a las rocas. El desarrollo de las plantas depende mucho de la textura del terreno. Cuanto mayor sea la granulometría de éste, mayor será la profundidad a la que irá el agua y menos se evaporará. En el fondo de las profundas grietas de las rocas suelen acumularse materiales más finos, convirtiéndose así en nichos ideales para que las plantas germinen y se desarrollen.

Un suelo seco

Por mucho que llueva, las plantas solamente podrán aprovechar el agua que quede retenida en el sustrato. Si el sustrato está formado por arena o gravilla, será muy permeable y no retendrá el agua. Muchas plantas no toleran estos biotopos secos, ni siquiera si están situados en las regiones más lluviosas de Europa, pero no sucede lo mismo con unas especialistas como las suculentas.
Todavía son más extremas las condiciones que se dan en las cornisas rocosas, acantilados o las copas de los árboles de los trópicos: allí ni siquiera hay sustrato, un lugar ideal para algunas suculentas como las de los géneros *Sedum* o *Notocactus*. Así encontramos biotopos con cactus incluso en las mesetas y paredes rocosas de algunas regiones de Brasil.

Convivir con el frío

La mayoría de los cactus y demás suculentas suelen vivir mejor en lugares cálidos. ¡Las heladas resultan mortales para la mayoría de las especies! Es precisamente el frío el que limita la distribución septentrional de los grandes saguaros (*Carnegiea gigantea*). Pero también existen algunas especies resistentes al frío, como *Escobaria missouriensis*, que vive en lugares de montaña desde el suroeste de Estados Unidos hasta Dakota del Norte, o como la robusta *Opuntia polyacantha*, que llega hasta Canadá y soporta temperaturas de hasta –25 ºC. *Maihuenia*, *Austrocactus* y *Pterocactus* viven en las regiones más agrestes de la Patagonia. Todas estas especies también resisten bien el frío de los jardines de los climas templados.

En su biotopo natural, como éste del desierto del Namib, Aloe dichotoma *aprovecha el agua en cualquiera de sus formas.*

El elixir de la vida: agua y nutrientes

Al igual que todas las plantas, los cactus necesitan agua y nutrientes –elementos que en las regiones áridas suelen ser muy escasos–, pero están preparados para sobrevivir en esas condiciones.

En las regiones áridas de la Tierra, la fuerte radiación solar y las elevadas temperaturas hacen que se evapore más agua de la que le llega al sustrato (ver esquema de la página 13). A excepción del nitrógeno y el fósforo, estas plantas suelen disponer de la mayoría de nutrientes que necesitan, tales como calcio y magnesio, en suficiente cantidad, e incluso cantidades elevadas de sodio, oligoelemento soluble en agua tolerado por la mayoría de las plantas. Al contrario de lo que sucede en los climas lluviosos, los minerales no se encuentran en las capas más profundas del suelo, sino que se incorporan al suelo y a las grietas de las rocas ascendiendo por capilaridad al evaporarse el agua en la superficie. El problema es la falta del agua encargada de efectuar ese transporte vertical.

Los cactus del género Ariocarpus *son muy resistentes a la salinidad del medio y toleran concentraciones de sales de potasio superiores al 30%.*

Humus

La falta de agua no implica solamente falta de humedad. Todo el aporte de minerales del ecosistema depende de la disponibilidad de agua, ya que sin agua las células de los tejidos vegetales no pueden llevar a cabo los procesos metabólicos necesarios para el desarrollo de la planta. Sin desarrollo no se produce biomasa, y sin biomasa no habrá restos vegetales que los microorganismos del suelo puedan descomponer para liberar de nuevo sus minerales produciendo humus. Pero el humus es imprescindible para el crecimiento de las plantas, ya que éstas además de absorber los minerales del suelo también necesitan los nutrientes de la materia orgánica.

Poca biomasa

En los suelos yermos de las regiones desérticas y esteparias se desarrolla una vegetación muy pobre, y su producción de biomasa no se parece ni de lejos a la de los climas más húmedos. Por lo tanto, no se puede generar un suelo que sea rico en sustancias orgánicas nitrogenadas. El escaso humus existente aporta muy poco nitrógeno. Algunas cactáceas (como por ejemplo *Lophophora williamsii* o *Astrophytum asterias*) se han adaptado hasta tal punto a estas condiciones que no toleran los ácidos húmicos. Sus sensibles raíces se estropean al entrar en contacto con las partículas ácidas del humus. También se ha comprobado que el empleo de fertilizantes minerales (ver páginas 54/55) favorece el desarrollo de muchas suculentas y las estimula a florecer.

Estrategias de las plantas

Naturalmente, los desiertos no son lugares en los que no llueva jamás. Las lluvias son poco frecuentes, pero cuando caen lo hacen en abundancia. A veces se producen tormentas muy fuertes, y las descargas eléctricas de los rayos hacen que las moléculas de nitrógeno del aire se unan a las de agua y lleguen hasta el suelo con la lluvia.

En los lugares de clima húmedo (izquierda) el agua penetra en el suelo, mientras que en los de clima árido (derecha) asciende hacia la superficie debido a la evaporación.

Además de esto, los cactus han desarrollado sistemas que les permiten sacar el máximo provecho del agua y los nutrientes.

- Las plantas están bastante separadas entre sí para que su sistema de raíces, muy ramificado y poco profundo, pueda captar el agua de una mayor superficie.
- La extrema absorción de las finas pilosidades de las raíces les permite aprovechar incluso cantidades de agua muy pequeñas. Estas pilosidades desaparecen en las épocas de sequía pero vuelven a formarse cuando llueve.
- De las espinas suelen colgar gotitas de rocío o de niebla que luego son absorbidas por las almohadillas pilosas de las areolas (ver página 15) situadas en su base. También resbalan a lo largo del tallo globular o columnar del cactus para llegar hasta el suelo y ser absorbidas por las raíces superficiales.
- Algunas especies, como las del género *Ferocactus*, son muy ahorradoras con el agua que han podido acumular. Estas «reservas de agua del desierto» pueden soportar varios años sin lluvia.
- Cuando el cactus va consumiendo sus reservas de agua, disminuye de volumen y se produce una especie de efecto acordeón en las costillas longitudinales, que se contraen al deshidratarse y recuperan su turgencia sin romperse cuando vuelven a llenarse.
- En el suelo existen también unos determinados microorganismos que se encargan de hacer que los nutrientes del suelo sean asimilables por los cactus. Por desgracia sabemos muy poco acerca de estos microorganismos, ya que hasta ahora no ha sido posible cultivarlos artificialmente.

Sal en el suelo

Los suelos de las regiones áridas suelen tener un elevado contenido de sodio que se puede atribuir al origen marino de sus rocas. Estas sales fácilmente solubles en agua se liberan al disgregarse las rocas y son transportadas hasta la superficie por la capilaridad producida por la evaporación, por lo que son absorbidas por las plantas junto con los demás nutrientes del suelo. Y esto constituye un problema para la mayoría de las especies, ya que sus células no pueden asimilar estas soluciones salinas tan concentradas y se deshidratan. Las suculentas, al igual que las plantas halófilas que viven cerca del mar, son capaces de compensar este exceso de salinidad aumentando la concentración de sus fluidos celulares y acumulando las sales sobrantes en algunas partes de la planta, como por ejemplo las hojas. Y cuando éstas alcanzan una determinada concentración, la planta simplemente se desprende de ellas. Además, el plasma celular tolera concentraciones de sal que podrían llegar a ser tóxicas. Algunos cactus, como los del género *Ariocarpus*, viven en lugares en los que sólo sobreviven las plantas halófilas, como por ejemplo salinas con una concentración de sales de potasio superior al 36%.

Conservar y ahorrar para tiempos de sequía

Entre las suculentas encontramos plantas de diversas familias y con una sorprendente variedad de formas. Todas esas plantas crasas solamente tienen una finalidad: conservar reservas.

La estrategia de guardar agua para épocas de sequía está muy extendida en el reino vegetal. Muchas plantas recurren a reducir la superficie de sus hojas para limitar la transpiración, se cubren de una capa protectora de cera o de pilosidades, o se desprenden de tallos superfluos. Pero estos caracteres aislados no bastan para definir la suculencia. Las plantas crasas o suculentas (*succus*, en latín significa «jugo») son solamente aquellas que pueden acumular agua en unos tejidos especiales de reserva.

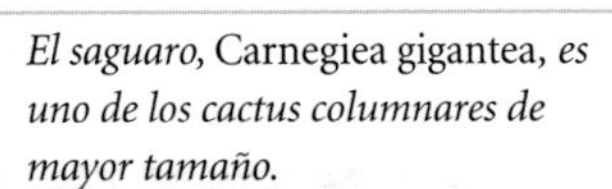

El saguaro, Carnegiea gigantea, *es uno de los cactus columnares de mayor tamaño.*

Diversidad de formas

Su inmensa variedad de formas y tamaños va desde gigantes del tamaño de árboles hasta plantas diminutas de apenas un centímetro, pasando por otras esféricas de más de un metro de diámetro, pero todas perfectamente adaptadas a la supervivencia en su hábitat. Existen especies rastreras, así como trepadoras (*Hoya*) o epífitas, que cuelgan en racimos de los árboles (*Rhipsalis*). Algunas especies producen unos hermosos tallos en forma de botella (*Pachipodium*), mientras que otras disponen de órganos de reserva subterráneos (*Pterocactus tuberosus*).
Las especies del género *Conophytum* tienen un aspecto suave y delicado, mientras que otras están armadas de espinas y aguijones capaces de causar profundas heridas.

Cuestión de espacio

Generalmente, las plantas dicotiledóneas germinan produciendo raíces y un tallo ramificado y con hojas. Ésta es también la estructura de las suculentas. *Pereskia* por ejemplo (ver ilustración de la página siguiente, izquierda) se aproxima mucho a este modelo. También se da en las formas casi esféricas como la de *Gymnocalycium* (ver ilustración de la página siguiente, 2ª de derecha a izquierda), pero es apenas reconocible ya que a lo largo de su desarrollo suculento las hojas y el brote se han ido comprimiendo entre sí, una forma óptima de obtener el máximo rendimiento de sus escasos recursos. Hay diversos órganos de la planta que pueden sufrir modificaciones para retener agua:

- **Tallo.** En las plantas de tallo suculento, todo su cuerpo se reduce a su eje principal que es donde se acumulan las reservas de agua. En *Oreocereus* y en las euforbias candelabro puede ser columnar y ancho, mientras que en los cojines de suegra, *Echinocactus*, es esférico. Todos ellos pueden producir yemas bien a partir de su base o en forma de brazos laterales. Algunos cactus del género *Mamillaria* pueden producir brotes redondos o alargados hasta llegar a recubrir amplias superficies. En los casos de suculencia extrema ni siquiera se diferencian los brazos laterales: su forma esférica les permite tener un máximo volumen con la mínima superficie posible. Las yemas poseen clorofila, pero su color

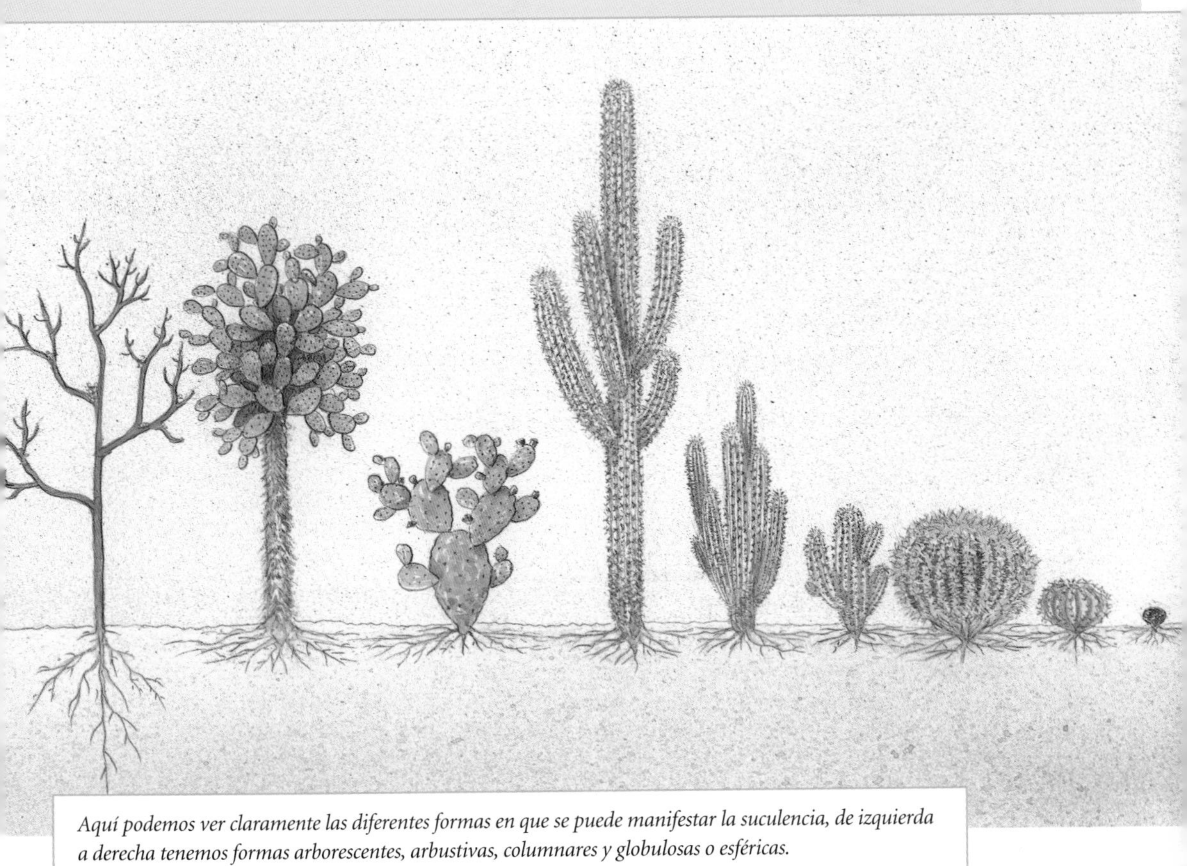

Aquí podemos ver claramente las diferentes formas en que se puede manifestar la suculencia, de izquierda a derecha tenemos formas arborescentes, arbustivas, columnares y globulosas o esféricas.

será más o menos verdoso en función del grosor de la capa de cera que los recubre. Los tallos de los cactus epífitos tales como *Epiphyllum*, *Hatiora* o *Schlumbergera* también son yemas engrosadas.

- **Hojas.** Hay muchas suculentas que emplean sus hojas como reserva de agua. Por lo tanto, éstas son mucho más carnosas y gruesas que las hojas normales. Las plantas como *Crassula portulacea* tienen un tallo germinal ramificado; en otras, como el agave, las hojas surgen directamente de la base a partir de un tallo germinal subterráneo.
- **Raíces.** Las plantas que acumulan agua en sus raíces son el grupo más exótico de las suculentas. Sus raíces están engrosadas como zanahorias. Hay pocas especies que vivan en las regiones desérticas, como *Pterocactus tuberosus* y algunas especies de los géneros *Pelargonium* y *Oxalis*. *Adenium* y *Fockea* pertenecen al grupo de las plantas caudiciformes y acumulan el agua en la parte inferior del tallo, que es más o menos en forma de botella o esférica. A partir de ahí, la suculencia puede propagarse hacia las raíces con mayor o menor intensidad.

Cerrar compuertas

Naturalmente, la capacidad de retener agua en sus tejidos es una excelente adaptación de las suculentas para poder sobrevivir en lugares muy secos. Pero eso no les serviría de mucho si no contasen también con unos recursos igualmente efectivos para evitar perder esa agua por la transpiración.

Respiración nocturna

Los cactus y otras suculentas son plantas de crecimiento lento, y algunas de ellas pueden vivir varios centenares de años. Al contrario de lo que sucede en la mayoría de plantas anuales y en las de hoja caduca, sus órganos respiratorios, los estomas y la clorofila de las células. Los estomas sirven para el intercambio gaseoso entre la atmósfera y las células. En la fotosíntesis, la planta toma dióxido de carbono y desprende oxígeno. Lo normal es que este proceso tenga lugar

Pereskia *es un cactus arbustivo cuya suculencia apenas está desarrollada.*

de día, ya que la fotosíntesis necesita luz solar, pero el problema es que durante el día la humedad relativa del aire es mucho menor que por la noche y al abrirse los estomas la planta pierde más agua por transpiración. Las plantas suculentas han desarrollado la capacidad de cerrar activamente sus estomas durante el día. Para poder llevar a cabo la fotosíntesis a pesar de todo, estas plantas emplean un mecanismo que conocemos como metabolismo ácido de las crasuláceas. Mediante este metabolismo específico, las crasuláceas respiran dióxido de carbono durante la noche y lo acumúlan en forma de ácido hasta el día siguiente, cuando al cerrarse de nuevo los estomas pasa el CO_2 a las células y se produce el intercambio gaseoso.
Los estomas suelen estar situados en profundas hendiduras (en las suculentas con hojas se encuentran en la cara inferior de éstas). El aire suele estar algo más húmedo a la sombra que a pleno sol, y así se transpira menos agua.

Una gruesa protección

Los cactus y demás suculentas necesitan protegerse lo mejor posible contra la deshidratación, por lo que están completamente recubiertos por una cutícula de cera. Se trata de un tejido externo muy impermeable al aire y al agua, y cuyo colorido y estructuras pueden reflejar la luz en distintos colores (por ejemplo azul en *Pilosocereus pachycladus*). También las hay de color blanco inmaculado (*Copiapoa cinerea*) o de color marrón grisáceo como *Euphorbia abdelkuri*.
Su superficie suele presentar pliegues o costillas y raramente es lisa. Los abultamientos en forma de verrugas son especialmente evidentes en los cactus del género *Mammillaria*, pero también en *Leuchtenbergia*, donde parecen cortos brotes espinosos.

Protecciones punzantes

La reducción de la superficie también ayuda a frenar la transpiración. Y las suculentas aplican este principio de diferentes formas. Algunas tienen hojas normales, pero en tiempos de sequía se secan y se desprenden. Otras sólo producen hojitas diminutas o muy suculentas.
Si toda la superficie de la planta adopta la forma esférica, todos los procesos metabólicos tendrán lugar en su interior. La función de las hojas la desempeñarán las capas superiores de células epiteliales. De todos modos, los grupos de aguijones más o

Información

FIJÉMONOS EN SU ASPECTO

El tipo de hojas de las suculentas nos indica la cantidad de agua que necesitan. Las suculentas de hojas finas, que apenas pueden acumular agua, transpiran más que las que carecen de hojas. *Crassula portulacea* y los agaves, por ejemplo, tienen las hojas gruesas y necesitan más agua que un cojín de suegra o las plantas piedra, pero menos que las especies de hojas finas tales como las palmas de Madagascar del género *Pachypodium*, los hibridos de *Euphorbia milii* y *E. lomii*, *Aeonium* o *Adenium obesum*.

Las llamas y otros animales de la Pampa aprovechan los jugosos tejidos de las suculentas para «repostar» en el camino.

menos densos todavía recuerdan a las hojas de las que provienen.
Imaginémonos que todos los tallos laterales se han retraído como la antena de un coche hacia una base en forma de almohadilla, y que en ésta hay unas hojas que han evolucionado hasta convertirse en espinas. A partir de estas almohadillas, algunos cactus como Pereskia producen al cabo de los años nuevas espinas y también verdaderas hojas hasta que el brote se agota. Esta estructura se mantiene constante en todos los cactus.

¿Espinas o aguinones?

A simple vista no siempre resulta fácil distinguir si las suculentas están protegidas por espinas o por aguijones. Pueden darse ambos casos, pero generalmente se trata de espinas.

- Las púas son formaciones dérmicas de origen más o menos profundo y que estructuralmente no son hojas o tallos modificados.
- Por otro lado, las espinas siempre son órganos de la planta transformados. Puede tratarse de brotes transformados o de hojas transformadas. Encontramos formaciones muy interesantes en las palmas de Madagascar y en muchas euforbias, que junto a las hojas normales presentan también otras transformadas en espinas. Especialmente refinadas resultan las espinas de los tallos florales de algunas euforbiáceas (por ejemplo *Euphorbia horrida*), que cuando la planta es joven no llegan a florecer sino que se secan: en las plantas de más edad se ramifican, florecen y después se lignifican.

Efecto de las espinas

Las espinas, escamas o pelos reflejan la luz y crean sombras así como una envoltura de aire que cubre el tallo para evitar la transpiración. Naturalmente, también proporcionan una protección contra la voracidad de los animales. Pero esto último, por sí solo, no permite explicar la formación de las espinas. Si fuese así, no habría tantas suculentas sin espinas ni sería tan frecuente que los animales mordiesen a las especies espinosas. El pájaro carpintero de Gila (*Melanerpes uropygialis*) vive en el desierto de Sonora y horada su nido en el tallo de los saguaro, lugar en el que también cría la golondrina púrpura (*Progne subis*). Seguramente lo hacen porque allí se sienten seguros de los predadores y porque el cactus les proporciona frescor.

Protección sin espinas

Todavía no sabemos con certeza por qué algunas especies desarrollan espinas y otras no. *Asttrophyton asterias*, *Euphorbia obesa* y las especies del género *Mesembryanthemum*, por ejemplo, carecen de espinas. Se retraen en el suelo, producen alcaloides de sabor amargo o poseen un líquido lechoso tóxico, pero eso también lo hacen muchas de las especies espinosas.

Cómo efectuar una buena elección

Los cactus y especies similares proporcionan un carácter inconfundible a cualquier espacio. Y esto no se debe solamente a sus atractivas formas sino también a que nos transmiten algo de la magia y la simbología de otras culturas. Lo importante es colocarlos en el lugar adecuado, lo demás ya vendrá por sí solo.

Un rincón con carácter: los cactus y otras suculentas crean un ambiente exótico y acogedor junto a la ventana orientada hacia el sur.

Las suculentas alegran el ambiente de la terraza en un abrir y cerrar de ojos, o añaden un «look étnico» a cualquier rincón de la casa: nos transmiten algo de la esencia de los grandes espacios abiertos que soñamos con visitar, y el mundo se nos hace más pequeño. Pero al buscarles un emplazamiento es importante que las coloque en un lugar en el que se satisfagan sus necesidades.

La luz adecuada

Tanto los cactus como las demás suculentas son plantas acostumbradas al sol y que necesitan un lugar bien iluminado, aunque no necesariamente a pleno sol. Para una pequeña colección de cactus se puede emplear por ejemplo una cubeta plana colocada en la repisa interior de la ventana mientras que los ejemplares de mayor tamaño necesitarán un lugar más amplio, pero también con buena luz. A las especies más sensibles les perjudica mucho más una helada a la intemperie o el exceso de agua en la maceta que el riego irregular y los cambios bruscos de temperatura. Si se conocen sus necesidades, se les proporciona una ubicación adecuada y durante su período de reposo invernal se los mantiene en un lugar fresco, nos lo agradecerán con un espléndido desarrollo y una hermosa floración.

¿Cuáles elegir?

A la hora de elegir las suculentas no sólo hay que tener en cuenta la situación de la casa, sino también los gustos de cada uno. A lo mejor hay especies cuyo aspecto o forma le fascinan especialmente. En muchas culturas antiguas, las suculentas tenían un significado casi místico. Los incas y otros pueblos nativos americanos las empleaban en sus rituales y sabían aprovechar sus propiedades alucinógenas. En Europa se atribuían poderes mágicos a la siempreviva de telaraña(*Sempervivum*), y Carlomagno la hacía plantar en los tejados como protección contra los rayos. Las suculentas también se emplean desde la antigüedad para la preparación de medicamentos y cosméticos, como por ejemplo las fibras de agave y el extracto de áloe.

Exigencias de emplazamiento

Si se les proporciona el lugar adecuado, no hay plantas más robustas, resistentes y fáciles de cuidar que las suculentas. Algunas también pueden necesitar una fase de reposo en determinada época del año.

Con raras excepciones, las suculentas son plantas que necesitan mucha luz y durante su época de crecimiento necesitan estar a pleno sol por lo menos un par de horas al día.

El efecto de la luz

La radiación solar es el factor que más influye en el desarrollo de las plantas. No sólo les proporciona la energía necesaria para la fotosíntesis sino que también influye en su morfología. Cuanto mayor sea la radiación de onda corta (UV) que reciba la planta, más compacta será su forma y más intensa será su coloración. Las espinas de los cactus y otras suculentas también serán más grandes y más robustas cuanta más luz reciban. Si a la planta le falta luz y está en un lugar caliente, más tarde o más temprano empezará a adquirir una forma delgada y alargada totalmente anormal.

El lugar ideal para tener cactus y similares dentro de casa es junto a una ventana a la que le dé mucho el sol, ante un ventanal, en una galería bien iluminada o en un invernadero. Pero hay que tener en cuenta que aunque una ventana esté bien orientada hacia el sol, no servirá de mucho si la mayor parte del tiempo recibe la sombra de árboles o edificios cercanos. Los vidrios tintados filtran la luz solar y no dejan que las plantas reciban la radiación que necesitan. Las especies que necesitan más luz habrá que colocarlas junto a una ventana orientada al sur, ya que así recibirán por lo menos el doble de horas de sol que en las que están orientadas al este o al oeste. Pero las ventanas con poca luz también pueden convertirse en un buen lugar para cactus si recurrimos a un pequeño truco. Si se limita el riego, el desarrollo de la planta se reducirá hasta el punto de que ésta tendrá suficiente con la luz que le pueda llegar a través de una ventana orientada al este o al oeste. Para ello podemos aplicar la siguiente regla: si la planta está ante una ventana orientada al este o al oeste, se la regará con tres cuartas partes del agua que habría que emplear si estuviese ante una ventana orientada al sur. Si además esa ventana recibe sombra, se puede reducir la cantidad de agua a la mitad de la normal.

Si hace falta más luz de la disponible se pueden emplear lámparas especiales para plantas. Las venden en los comercios especializados y existen diversos modelos.

Se pueden mantener suculentas incluso junto a una ventana orientada al norte, siempre que no reciba sombra. En la naturaleza, la crasulácea *Aeonium tabuliforme* y las especies del género *Haworthia* viven entre las rocas situadas en lugares protegidos del sol. Así reciben mucha luz pero no están expuestas directamente a la radiación solar.

Aeonium tabuliforme *necesita un lugar bien iluminado pero no a pleno sol.*

Frío y calor

En los desiertos, estepas y sabanas en los que viven la mayoría de las suculentas suele

El hueco de una escalera interior es un lugar ideal para que pasen el invierno aquellos cactus que necesiten un período de reposo. Si tienen suficiente luz, las bajas temperaturas les ayudarán a reponer energías.

existir una gran diferencia entre las temperaturas diurnas y las nocturnas. Después de ponerse el sol, el suelo y las rocas pierden rápidamente el calor que han ido acumulando durante el día, y en las noches despejadas no es raro que en las regiones desérticas la temperatura descienda unos 30-40 °C en cuestión de pocas horas. Al contrario de lo que sucede con las demás plantas, los cactus y demás suculentas soportan muy bien estas condiciones tan extremas. Por lo tanto, no les afectarán en absoluto los cambios de temperatura que puedan darse en un jardín, en un invernadero sin sombra, una galería expuesta al sol o delante de una ventana, aunque el aire se caliente mucho durante el día y luego se enfríe considerablemente por la noche. Pero si la temperatura se mantiene constantemente fuera de su intervalo tolerable –es decir, entre los 15 y los 45 °C–, detienen su crecimiento y su metabolismo se reduce a la mínima expresión.

Un descanso de vez en cuando

Llega un momento en que las condiciones ambientales se hacen excesivas incluso para las plantas más resistentes. Cuando en sus lugares de origen pasan muchos meses sin llover y con unas temperaturas por encima de su margen de tolerancia, muchas suculentas inician una fase de reposo en la que se detiene su crecimiento. Este período no suele estar ligado a ninguna estación concreta del año, sino que depende única y exclusivamente de la temperatura y las precipitaciones. Naturalmente, estas condiciones no se dan dentro de una casa y habrá que conseguirlas artificialmente. En las zonas templadas podemos aprovechar los meses invernales para proporcionar un período de reposo a aquellas suculentas que lo necesiten (ver página 22). Durante ese tiempo habrá que regarlas menos, o dejar de regarlas por completo, e invernar a las plantas en un lugar fresco. La duración de esta fase y los cuidados que necesitarán las plantas varían mucho según las especies:

Después de una fase de reposo en ambiente frío, Mammillaria ernestii *florece espléndidamente en varias etapas.*

- Para producir yemas florales, los cactus más «clásicos» necesitan una época seca y relativamente fresca (ver páginas 50/51). Es decir, florecen solamente si pasan algunas semanas a 5-15 ºC. Cuanto más cálido sea el lugar en que los mantengamos, mayor deberá ser la duración del período de reposo.
- Algunas pocas especies, como las del género *Lithops*, tienen una fase de reposo anual fija (ver recuadro).
- Pero también hay muchas suculentas que no necesitan fase de reposo y a las que podemos regar durante todo el año. A este grupo pertenecen *Aloë*, *Aeonium*, *Crassula*, *Gasteria*, *Kalanchoe*, *Pleiospilos* y *Senecio* (ver detalles en las descripciones de especies). Si la temperatura ambiental dentro de casa es superior a los 15 °C también prosperarán bien en invierno.

Lugares en casa

Las suculentas viven mucho mejor dentro de casa que la mayoría de otras plantas de interior, ya que no plantean tantas exigencias respecto a temperatura uniforme, riego y humedad del aire. Por este motivo también se pueden colocar en lugares en los que es fácil olvidarse de regarlas. Pero esto tampoco quiere decir que sean el patito feo del reino vegetal, y conviene proporcionarles un lugar en el que puedan crecer y lucir como se merecen:

- Les van muy bien las habitaciones y los despachos luminosos y soleados en los que se mantiene más o menos la misma temperatura a lo largo de todo el año. A las suculentas que necesitan un período de reposo invernal (ver páginas 48/49) hay que trasladarlas en invierno a un lugar más fresco.
- En las escaleras suelen darse importantes cambios de temperatura, por lo que un lugar más apropiado para cactus que para otras plantas. Dado que generalmente las escaleras del interior tampoco cuentan con calefacción, son un buen sitio para conservarlos durante el invierno.
- Las galerías abiertas, porches y terrazas con celosías y protegidas de las heladas no sólo son lugares ideales para mantener suculentas durante el verano, sino también para que pasen el invierno.
- Las galerías cubiertas suelen tener muy buena luz y generalmente disponen de suficiente espacio para estas exóticas bellezas. Al elegir las especies hay que cuidar de que se puedan mantener las temperaturas que necesitan para el reposo invernal, ya que si a la galería le da el sol de lleno puede calentarse mucho incluso en invierno.
- Las mejores condiciones son las que se dan en los invernaderos, ya que en éstos es posible regular con precisión

Información

LITHOPS, EDAD DE PIEDRA EN LA MACETA

Las piedras vivas no hay forma de que se adapten al cambio de estaciones, y en Europa siempre florecen en octubre, que es cuando en su país de origen (Sudáfrica) es primavera. Hay que seguir regándolas hasta final de año, pero disminuyendo la cantidad de agua en noviembre y diciembre. Su época de reposo se prolonga hasta finales de abril y no hay que empezar a regarlas de nuevo hasta que no les hayan brotado dos hojas nuevas.

tanto la temperatura como la ventilación y ajustar estos parámetros a las necesidades de las plantas.

- Los pequeños invernaderos de interior constituyen una alternativa más económica pero perfectamente válida. Para la mayoría de las suculentas ni siquiera es necesario instalar calefacción, pero para las especies muy sensibles se puede colocar un cable calefactor conectado a un termostato.
- Durante el invierno los sótanos y buhardillas suelen ser lugares bastante frescos y apropiados para que hibernen las plantas, pero no son nada aconsejables para mantenerlas durante todo el año.

Recuperación al aire libre

En las regiones de clima templado, el jardín y la terraza son los mejores lugares para mantener a las suculentas durante el verano, y basta con colocar a las macetas de las plantas en lugares a los que les dé bien el sol. Así el jardín adquiere un ambiente ligeramente exótico y las plantas lucen en su máximo esplendor. Además, al estar en el exterior las plantas no sólo reciben mucho sol sino también aire fresco, y esto les va estupendamente para la salud: muchos parásitos que se multiplican a sus anchas en los ambientes cerrados y caldeados no toleran bien el estar al aire libre y desaparecen por sí solos. Si desea plantar en el exterior algunos cactus y otras suculentas resistentes al frío, hágalo en un lugar en que el suelo tenga un buen drenaje en el que reciban por lo menos 2-3 horas de sol directo al día (ver página 53). Muchos lugares que resultan demasiado secos para otras plantas pueden ser ideales para estas especies adaptadas a una vida más dura.

Evitar las insolaciones

Las plantas de interior necesitan adaptarse progresivamente a la mayor radiación UV que se da en el exterior. El sol directo puede dañar a las hojas de algunas suculentas si se las coloca en el exterior sin protección alguna. Por este motivo es preferible sacarlas al principio solamente en días nublados o colocarles un toldo que les dé sombra. Los cactus y demás suculentas se endurecen al cabo de 3-4 días, y entonces ya resisten bien el sol que pueda darles estando al aire libre.

A los cactus les sientan muy bien la luz y el calor del aire libre. Hay especies que pueden vivir al aire libre durante todo el año y que toleran temperaturas de bastantes grados bajo cero.

Sanas y útiles: lo que se oculta en las suculentas

¿Se debe a su peculiar aspecto, a sus sorprendentes adaptaciones, o es que realmente poseen poderes mágicos? El caso es que la pasión por las suculentas no hace más que crecer.

*Las propiedades alucinógenas del peyote (*Lophophora williamsii*) se conocen y aprovechan desde hace muchos siglos.*

En la antigüedad ya se las respetaba, se las apreciaba y se las empleaba en todo tipo de cultos y ceremonias. Pero las suculentas no sólo ejercen una atracción mística sino que también contienen muchas sustancias que ya eran conocidas por los aztecas y otros pueblos nativos americanos.

Fibras y tintes

Veamos una pequeña muestra de la infinidad de aplicaciones que tienen las suculentas en nuestra vida cotidiana:

- Las fibras vegetales de los agaves son indesgarrables y muy resistentes a la humedad, por lo que resultan ideales para la producción de cuerdas, alfombras, cepillos y cestos. *Agave sisaliana* tiene las hojas dispuestas en una roseta de 1,5 m de diámetro y con 0,5 m de altura. La base leñosa de sus largos y huecos tallos florales se emplea para construir instrumentos musicales tales como tambores y didgeridoos. Las partes leñosas de las suculentas suelen emplearse en la construcción y para trabajos de artesanía.
- En las caras planas de las opuntias se cría la cochinilla, de la que se extrae el pigmento rojo del carmín. Hacen falta 140.000 animales para obtener 1kg de pigmento. Se emplea en cosmética y como colorante para bebidas (bitter), helados y otros productos.
- De la «reina de la noche» se obtiene una esencia que se usa en perfumería.
- Los cactus y las euforbias son ideales para crear setos muy eficaces. Sus espinas impiden el paso de los animales y protegen las viviendas y los cultivos.
- Algunos pueblos primitivos envenenan sus flechas con una mezcla a base de secreción lechosa de euforbias y caucho.
- Antiguamente se empleaba la cera de *Euphorbia antisyphilitica* para elaborar velas, lacre y discos de gramófono. Hoy en día sigue utilizándose para encerar manzanas y cítricos así como en la elaboración de chicles y golosinas.

Cactus psicoactivos

Algunas especies de cactus poseen sustancias psicoactivas que después de consumir porciones de la planta producen alucinaciones y otras alteraciones sensoriales. El peyote de los aztecas (*Lophophora williamsii*) contiene no menos de 50 alcaloides, entre los que se incluye la mescalina (alucinógeno). Se cree que las primeras culturas americanas ya lo empleaban en sus rituales hace más de 7.000 años, pero los misioneros españoles le pusieron el nombre de «raíz diabólica». El consumo del peyote no consiste en drogarse por las buenas. Forma parte de un amplio ritual que abre el consciente y allana el camino hacia las manifestaciones divinas desde la cosecha hasta el momento en que se festeja. Un significado similar es el que tiene el cactus de San Pedro (*Echinopsis pachanoi*) en América del Sur. Y actualmente la etnia Tarahumara sigue creyendo que el minicactus

Epithelantha micromeris «amplía y aclara la vista», proporciona una larga vida y protege de las acciones del diablo. Por desgracia, la influencia de los misioneros ha hecho que muchos de estos rituales desaparezcan para dar paso al empleo del tequila.

El cultivo del agave está muy extendido en México, donde se emplea para la elaboración del tequila y la obtención de aguamiel.

Con gusano

Ya los aztecas obtenían de los agaves un jugo que, espesado, conocemos actualmente como aguamiel. A partir del jugo fermentado se obtiene el pulque, que sigue siendo la bebida nacional de México. Pero el tequila fue un invento de los colonizadores españoles. Se destila a partir del jugo fermentado del agave azul *Agave tequilana*, que se cultiva en unas plantaciones especiales situadas alrededor de la ciudad de Tequila. Los licores de agave producidos en otras regiones de México reciben el nombre de mezcal. Existe la costumbre de colocar un gusano del agave en cada botella de mezcal para demostrar su elevado porcentaje de alcohol, ya que de lo contrario el gusano se descompone. Esto que antes se realizaba como control de calidad, actualmente es poco más que un reclamo publicitario.

Ritos religiosos

Las culturas antiguas atribuían poderes mágicos a los cactus. Se empleaban en ofrendas y en otras ceremonias destinadas a aplacar a los dioses.

- El equinocacto gigante, *Echinocactus platyacanthus*, se hizo tristemente famoso en la cultura azteca, ya que se empleaba como altar para los sacrificios humanos. Su nombre mexicano de «Teocomitl» se podría traducir por algo así como «sartén sagrada».
- En los rituales de la lluvia se fermentaba la pulpa del saguaro, *Carnegiea gigantea*, para obtener una especie de vino y se molían sus semillas.
- En el altiplano de Bolivia se

Sugerencia

OBTENCIÓN DE UN GEL MUY VALIOSO

En el gel de las hojas de *Aloe vera* recién cortadas existe una elevadísima concentración de enzimas, vitaminas y otras sustancias muy útiles. Para su empleo basta con eliminar la capa superior de la hoja. Procure que este gel de sabor neutro no entre en contacto con las sustancias amargas de debajo de la superficie de la hoja.

recogen cada año unos 30.000 ejemplares de pequeño cactus esférico *Neowerdermannia vorwerkii* y se preparan para las festividades religiosas.

Dulce y jugoso

Es increíble que en un medio tórrido y árido las suculentas sean capaces de producir unos frutos tan jugosos y sabrosos. Su cultivo resulta especialmente importante en aquellas regiones en las que el clima seco y caluroso impide la obtención de otros tipos de frutas y hortalizas.

Al pelar los higos chumbos (tunos) hay que ir con cuidado para no pincharse.

- La chumbera (*Opuntia ficus-indica*) es una de las suculentas útiles de mas amplia distribución (ver sugerencia). Los higos chumbos verdes se conocen también como «nopalitos» y se cortan a tiras. Se pueden consumir frescos o de lata, fritos o hervidos como verdura. En las épocas de sequía se les queman las espinas a las chumberas para dárselas al ganado como alimento. También se han logrado variedades sin espinas. A partir de la pulpa de los higos chumbos, o tunos, se prepara una masa marrón y cristalizada de sabor dulce y afrutado.
- *Selenicereus megalanthus* es un cactus trepador de América Central y del Sur emparentado con la «reina de la noche». Produce unos frutos amarillos o rojos de 10-15 cm y que reciben el nombre de pitayas. Son de sabor ligeramente ácido y refrescante. También producen unos frutos muy similares los cactus centroamericanos de los géneros *Hylocereus* y *Stenocereus.*
- *Myrtilocactus geometrizans* produce unos frutos muy parecidos a los arándanos y que en México se comercializan frescos o secos como pasas. Otras especies del mismo género tienen los tallos comestibles.
- En muchos mercados de México venden equinocactos (*Echinocactus*) y cactus barril (*Ferocactus histrix*) troceados y recubiertos de azúcar. Son unos dulces muy apreciados. También son comestibles las yemas florales de diversas especies de cactus peladas y hervidas. De otras se aprovechan los tubérculos, y se los cocina como si fuesen patatas.
- El jugoso interior de los litops (*Lithops*) les encanta a los niños que viven en aquellas áridas regiones del sur de África. Y lo mismo puede decirse de otros representantes de la familia *Aizoaceae.*

Sano y saludable

Desde la más remota antigüedad se conocen los efectos curativos y analgésicos de las suculentas para el tratamiento de heridas e infecciones. Muchos géneros poseen sustancias capaces de fortalecer el organismo y que ayudan a reforzar el sistema cardiovascular.

- *Aloe vera*, el áloe verdadero, es seguramente uno de los

Información

ASÍ ES COMO MEJOR SE PELAN LOS HIGOS CHUMBOS (TUNOS)

Los aromáticos y sabrosos frutos de las chumberas (*Opuntia ficus-indica*) tienen su piel recubierta de pequeñas almohadillas de espinas denominadas gloquidios. Para evitar pincharse con ellas o que se enganchen a la pulpa, lo mejor es envolver los frutos con papel de cocina al ir a pelarlos. También existe un truco para convertir sus espinas en inofensivas: colocadas bajo un chorro de agua, se pegan entre sí y son más fáciles de eliminar.

Hoodia gordonii *es una suculenta de hermosas flores que se emplea como adelgazante por su propiedad de inhibir el apetito. Vive en las regiones de nieblas del desierto del Kalahari, en la costa occidental de Namibia.*

remedios más conocidos. Actualmente se cultiva en todo el mundo para aprovechar el fluido en forma de gel del interior de sus hojas. En el antiguo Egipto ya se conocían muchas de sus aplicaciones internas así como externas para el tratamiento de infecciones y quemaduras. Otras especies del mismo género también poseen propiedades curativas, como es el caso de la planta pulpo, *Aloe arborescens*. Los mejores efectos se obtienen empleando la planta fresca: el líquido de sus hojas penetra en nuestra piel cuatro veces más deprisa que el agua, con lo que se consigue una rápida hidratación.

- También los cactus tienen muchas aplicaciones en medicina. Algunos sirven para curar heridas y otros alivian problemas gastrointestinales. La «tintura cacti» se emplea para fortalecer el corazón y se extrae de la reina de la noche (*Selenicereus grandiflorus*).
- En Sudáfrica se emplea la «kanna» (*Sceletium tortuosum*) para combatir dolores y calambres. Es una planta de efectos euforizantes y que resulta útil para aliviar el dolor de muelas.
- En Europa y Asia se emplean algunas plantas crasas de los géneros *Sedum* y *Sempervirum* con fines medicinales. Y en los últimos años ha vuelto a ponerse de moda el empleo de *Rhodiola rosea*, cuyos efectos parecen ser similares a los del ginseng. Potencia el bienestar general, alivia el dolor y tranquiliza actuando a la vez como antidepresivo.

Para conservar la línea

Los bosquimanos del Kalahari emplean las plantas de *Hoodia gordonii* para saciar la sed y el apetito durante sus largas cacerías. Actualmente se ha comprobado científicamente su efecto como inhibidor del apetito y se ha patentado.

Una buena elección

Existe una gran variedad de cactus y otras suculentas. A la hora de la compra hay que guiarse principalmente por su calidad y su origen, y naturalmente también por los gustos personales.

Antes de empezar a elegir plantas entre las muchas especies que hay a la venta es importante que tenga en cuenta algunos criterios fundamentales. Solamente así podrá tener la certeza de haber hecho una buena compra.

Una gran oferta...

Actualmente podemos encontrar una gran diversidad de cactus y otras suculentas tanto en viveros y centros de jardinería como en floristerías y mercados, incluso se pueden comprar en subastas de Internet. También existen bolsas y certámenes especializados en los que se pueden comprar plantas y a la vez obtener consejos directos de los especialistas, así como viveros especializados en cactus en los que generalmente podemos hallar una gran variedad de especies.

... y demanda

La buena calidad se ha de poder conservar. Es muy importante informarse bien sobre los cuidados y la ubicación que necesitan. Cuanto más sepa usted sobre sus plantas, mejor podrá cuidarlas. Por lo tanto, empiece por considerar cuáles serán las suculentas que mejor se adaptan a sus necesidades, y luego pida asesoramiento en el comercio especializado. Infórmese también sobre la posibilidad de que le ofrezcan algún tipo de asesoramiento postventa.

En los viveros especializados en cactus se producen plantas sanas, resistentes y de la máxima calidad.

Especies protegidas

Por desgracia, a pesar de las regulaciones internacionales (ver página 9) y los controles aduaneros, en sus países de origen se siguen arrancando y vendiendo suculentas de muchas especies protegidas. Y muchas de ellas mueren antes de llegar a los circuitos comerciales. Actualmente casi todas las especies se pueden cultivar perfectamente en viveros. Algunos viveros que producen especies amenazadas las comercializan en grandes cantidades y acompañadas de un certificado de origen. En caso de duda, consulte a las autoridades competentes.

Actualmente, Obregonia denegrii *está amenazado de extinción en su hábitat natural.*

Control de calidad

El aspecto externo de una planta no siempre nos permite determinar si está sana y en buen estado. Pero vale la pena comprobar lo siguiente:

- Los tallos robustos, brotes sanos y forma compacta son indicios de salud.
- Una base leñosa o suberizada no es ningún defecto, sino una señal de que la planta se ha desarrollado correctamente a lo largo de los años hasta alcanzar su porte actual.
- Las plantas deberán estar completamente libres de parásitos, no tendrán tallos rotos o doblados y presentarán un buen aspecto general.
- Una buena densidad de espinas robustas y de color intenso siempre es señal de salud.
- En las suculentas con hojas, éstas deberán estar poco separadas entre sí.
- La maceta deberá ser lo suficientemente espaciosa para la planta, y a la vez muy estable.

¿Dónde colocarlas?

Si se los coloca en el lugar adecuado, los cactus y las otras suculentas son plantas poco exigentes y bastante fáciles de cuidar (ver página 20-23).
Dentro de casa, asegúrese de que estén en un lugar con buena luz y que reciban por lo menos un par de horas de sol directo al día.
A la hora de comprarlas, tenga en cuenta si luego necesitarán un lugar fresco para pasar el invierno, como sucede por ejemplo con la mayoría de los cactus «clásicos» (ver páginas 50/51). Otro factor a tener en cuenta es que las plantas pueden crecer mucho con el paso del tiempo. Si dispone de poco espacio puede crear una bonita colección de cactus enanos que con el paso de los años seguirán teniendo una talla reducida. Otra solución muy atractiva es colocar suculentas (como por ejemplo *Rhipsalis*) en macetas colgantes. También hay especies trepadoras que pueden sujetarse a una celosía y que resultan muy útiles para dividir espacios.
Las suculentas columnares necesitan una maceta muy estable y colocada directamente sobre el suelo para que dispongan de suficiente espacio y puedan crecer a lo alto. Asegúrese de que la planta reciba suficiente luz; lo ideal es que la ventana llegue hasta el suelo. En habitaciones muy bien iluminadas se las puede situar hasta a 1 m de distancia de la ventana, de lo contrario habrá que proporcionarles iluminación artificial complementaria (ver página 20).
Por otra parte, las plantas enanas tales como los litops (*Lithops*) es mejor colocarlas en la repisa de la ventana o en un lugar algo elevado en el que puedan lucir más.

Recuerde

ASÍ SE RECONOCE LA CALIDAD

- ✔ Plantas sin parásitos ni síntomas de enfermedad.
- ✔ Desarrollo compacto, colores intensos, espinas fuertes y densas.
- ✔ Raíces sanas y fuertes; la planta está plantada en sustrato para cactus.
- ✔ Adecuada relación de calidad/precio.
- ✔ Flores auténticas y no artificiales clavadas sobre un cactus.
- ✔ El vendedor proporciona información sobre los cuidados necesarios.

› PREGUNTAS Y RESPUESTAS

Sugerencias de un experto para la planificación

¿Existen cactus resistentes al frío? ¿Podemos traernos cactus recolectados durante las vacaciones en el extranjero? ¿Cuánto llegan a vivir los cactus? Todas estas cuestiones sobre obtención y la ubicación de los cactus merecen la respuesta de un experto en el tema.

? ¿Cómo podemos distinguir a un cactus columnar de una euforbiácea muy parecida?
Las euforbias pueden tener formas columnares muy parecidas a las de los cactus, pero no son plantas de la familia de las cactáceas sino de la de las euforbiáceas. Se ha producido una evolución convergente entre plantas suculentas de diferentes familias (ver página 6). Las euforbias poseen látex que surge a la más mínima herida, mientras que la savia de los cactus es acuosa e incolora.

? A veces al hablar de las suculentas se menciona a plantas con caudex. ¿A qué se refieren?
El caudex es un órgano de reserva que comprende la parte superior de la raíz y la parte inferior del tallo. En algunos casos puede abarcar parte del tallo y parte de la raíz. Estas partes suculentas tienen forma redondeada o de zanahoria. Algunas de las plantas con caudex son la rosa del desierto (*Adenium obesum*) y *Fockea edulis* (ver descripciones de plantas a partir de la página 84).

? ¿Se pueden comprar suculentas protegidas o en peligro de extinción?
Para que estas plantas sean legales es necesario que no procedan de su medio natural sino que hayan sido cultivadas en viveros. Si las trae como recuerdo de un viaje a México, América del Sur o Sudáfrica, necesitará una documentación que acredite que son ejemplares legales y que no han sido recolectados en la naturaleza. Sin estos documentos CITES no podrá exportarlas de un país ni importarlas a otro.

? ¿Existen realmente suculentas que resisten el frío o necesitan todas alguna protección contra las heladas?
Hay especies, como por ejemplo *Opuntia fragilis* y *Cylindropuntia imbricata*, que soportan bien los inviernos más duros del centro peninsular sin que necesiten ninguna protección. Lo importante es elegir siempre las especies más apropiadas para cada lugar.

? En sus lugares de origen, ¿las suculentas arraigan a gran profundidad hasta alcanzar las aguas freáticas?
No, ni siquiera los cactus gigantes como el saguaro tienen raíces profundas sino un sistema de raíces muy extenso situado a poca profundidad. Al tener unas raíces muy extendidas pueden aprovechar mejor el agua de las escasas lluvias, ya que el agua freática de las regiones áridas también es muy escasa. Además, sus amplias raíces superficiales también les permiten absorber el agua procedente del rocío o de la niebla, a la vez que les proporcionan una buena sujeción en los terrenos pedregosos.

? Me cuesta distinguir un agave de un áloe. ¿Hay alguna característica inconfundible?
Ambos géneros son muy similares pero mientras los áloes proceden originariamente de África, los agaves son americanos. Pero actualmente ambos géneros se han propagado a otros países y es frecuente verlos juntos en parques y jardines, por lo que es fácil confundirlos. Los agaves siempre florecen a partir del centro de la planta, producen un tallo floral muy alto y grueso y mueren después de la floración. Los tallos florales del áloe parten de las axilas de las hojas, incluso en ejemplares jóvenes, y la planta no muere después de florecer.

? Me he dado cuenta de que mis suculentas tienen mucho mejor aspecto después de pasar el verano al aire libre que cuando viven dentro de casa. ¿A qué se debe?
En el exterior las plantas tienen unas condiciones de iluminación idóneas, mientras que en el interior los vidrios de las ventanas apenas dejan pasar la radiación UV. Las suculentas son plantas que necesitan mucho sol, por lo que les sienta estupendamente estar en un lugar soleado del jardín. El sol puede estimularlas, de modo que sus espinas se vuelvan mucho más gruesas y fuertes. Las plantas que viven en el exterior son más resistentes y suelen tener un colorido más intenso. Pero necesitan un par de días para adaptarse al la mayor intensidad lumínica, por lo que después de pasar el invierno dentro de casa no hay que colocarlas inmediatamente a pleno sol.

? Algunos de mis cactus los compré hace más de 15 años. ¿Cuánto pueden llegar a vivir los cactus y las otras suculentas?
Según citaba BACKEBERG a mediados del siglo XX, algunos ejemplares de *Echinocactus grandis* y *Echinocactus ingens* de más de 3 m de altura que localizó en México deberían tener una edad de más de 500 años, por lo que ya estaban allí cuando llegaron los conquistadores. Por desgracia no disponemos de medios para determinar con precisión la edad de un cactus del mismo modo como se hace con los árboles. Por lo tanto, hay que dejarse guiar por la experiencia. Las «piedras vivas» del género *Lithops* pueden vivir más de 50 años si se las cuida adecuadamente. Y la misma edad pueden alcanzar las pequeñas y apreciadas suculentas sudafricanas del género *Haworthia*.

? Tengo a mi cactus situado directamente delante de la ventana, y sin embargo sus tallos son delgados y claros. ¿A qué se debe?
Es posible que los vidrios de su ventana estén tratados para que reflejen la radiación calorífica del sol. Y eso impediría el paso de un 85% de la radiación roja (onda larga) así como parte de la radiación azul y UV (onda corta). Por lo tanto, a pesar de que el ojo humano no lo aprecia, las plantas dispondrían de mucha menos radiación útil de la que necesitan. En este caso será mejor que elija suculentas que necesiten un lugar bien iluminado pero no a pleno sol. Si las riega menos también ayudará a evitar que los tallos crezcan tan delgados y largos.

? ¿Cuáles son los cactus y demás suculentas de menor y mayor tamaño?
El cactus más pequeño que se conoce es *Blossfeldia liliputiana*, que alcanza una talla máxima de 1-1,5 cm. Entre los más grandes se encuentran los cactus columnares *Carnegiea gigantea* y *Pachycereus pringlei*, que pueden alcanzar una altura de 10-15 m. Las suculentas más pequeñas deben ser las diminutas plantitas del género *Conophytum* (familia Aizoaceae) que son del tamaño de guisantes, mientras que las más grandes pertenecen al género *Euphorbia* (familia de las euforbiáceas) y alcanzan una altura de más de 20 m.

? Tengo un saguaro desde hace bastantes años y ya se ha convertido en un ejemplar respetable. ¿Cuánto puede tardar en producir sus característicos brazos laterales?
El saguaro es el típico cactus de las películas del oeste, pero por desgracia puede necesitar bastante tiempo para que le crezcan sus «brazos» laterales. Esto suele suceder cuando el cactus alcanza una altura de 2,5-3 m y tiene ya unos 140 años, y tarda por lo menos 70 años en florecer. Dado que la vida humana es demasiado corta como para disfrutar de este cactus, es mejor elegir una suculenta de aspecto similar y que no tarde tanto tiempo en adquirir su forma de candelabro y florecer, como por ejemplo *Euphorbia ingens*.

2

Jardinería

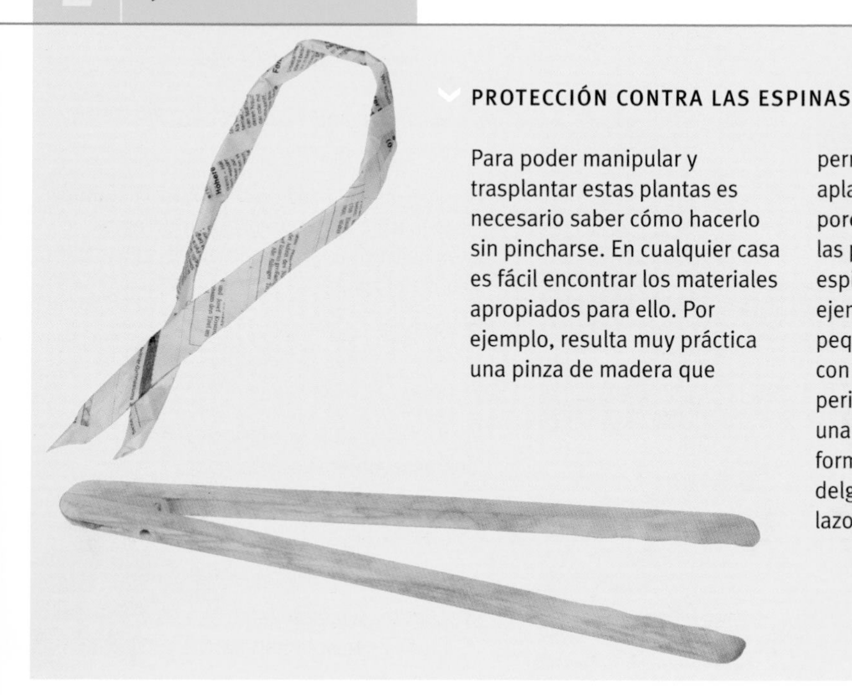

PROTECCIÓN CONTRA LAS ESPINAS

Para poder manipular y trasplantar estas plantas es necesario saber cómo hacerlo sin pincharse. En cualquier casa es fácil encontrar los materiales apropiados para ello. Por ejemplo, resulta muy práctica una pinza de madera que permita sujetar las plantas sin aplastarlas. O dos placas de porexpán grueso para aguantar las plantas pesadas y con espinas grandes y fuertes. A los ejemplares medianos y pequeños se los puede coger con una protección de papel de periódico. Para ello se dobla una hoja de periódico hasta formar una tira alargada y delgada con la que se hace un lazo del tamaño adecuado.

Herramientas necesarias

SIEMBRA

1 Semillero: un miniinvernadero con cubierta estimula la germinación de las semillas

2 Macetas para siembra: sirven tanto para sembrar semillas como para separar a las plantitas

3 Tierra de siembra: el sustrato exclusivamente mineral es el más adecuado para la siembra

4 Arena de cuarzo: se necesita para cubrir la superficie del sustrato

5 Pulverizador manual: es ideal para humedecer la siembra uniformemente

6 Extracto de equiseto: fortalece las plantas ya desde la siembra

PLANTAR Y TRASPLANTAR

1 Macetas de plástico o de arcilla: son las mejores para las suculentas

2 Cascajo de arcilla: se colocan en el fondo de la maceta para proporcionar un buen drenaje y evitar que se tapone el orificio de salida del agua

3 Sustrato: a casi todas las suculentas les va bien una mezcla de humus y sustrato mineral

4 Pala de mano: resulta muy práctica para llenar las macetas de sustrato

5 Regadera: de caño largo, para regar la tierra en puntos concretos o para verter el agua en la base de las plantas

6 Etiquetas: para identificar a las plantas después de trasplantarlas

Si se dispone de las herramientas y los accesorios adecuados, el cuidado y la multiplicación de las suculentas es un juego de niños. Un equipo básico simplifica mucho los trasplantes, facilita la siembra y protege de las espinas.

VARILLA SEPARADORA

Es una herramienta de uso universal en el cultivo y el trasplante de las suculentas: con ella se puede aflojar el cepellón, apisonar la tierra después de plantar, extraer cuidadosamente a las plantitas jóvenes o colocar sus delicadas raíces en el hoyo en el que se las va a plantar.

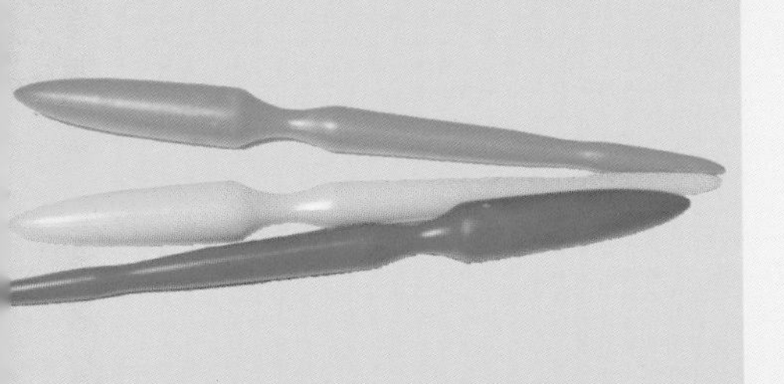

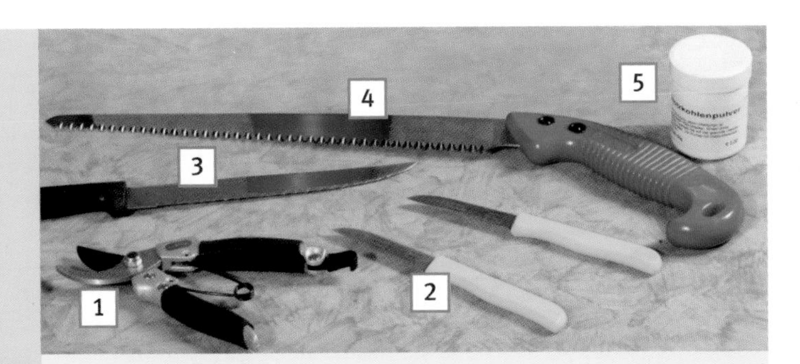

HERRAMIENTAS DE CORTE

1 Tijera de jardín para recortar raíces y tallos

2-3 Navajas de varios tamaños: para cortar esquejes y estolones en función de la edad de la planta y su grado de lignificación

4 Sierra: para cortar partes muy lignificadas

5 Carbón vegetal en polvo: para secar las heridas de corte y protegerlas de posibles infecciones

Bases para un buen desarrollo

Al igual que las demás plantas, las suculentas también necesitan de vez en cuando un cambio de sustrato y una maceta más grande, y a las especies resistentes al frío les conviene un emplazamiento permanente al aire libre. Pero no sufra: si dispone de los medios necesarios no ha de tener miedo a trasplantar suculentas.

A pesar de que los cactus y las otras suculentas son plantas de crecimiento bastante lento: para que sigan desarrollándose bien es necesario cambiarles el sustrato de vez en cuando y proporcionarles una maceta de mayor tamaño. Para poder satisfacer las necesidades específicas de las suculentas no hay que ponerles un sustrato a base de turba pura sino una mezcla especial para estas plantas (ver páginas 38/39). Para cubrir sus necesidades bastan dos sustratos simples, con y sin mezcla de humus. Ambos sustratos permiten un buen crecimiento de las raíces y realizan un óptimo efecto tampón, es decir, absorben el agua rápida y uniformemente incluso después de un largo período de sequía y satisfacen sobradamente las necesidades de las distintas especies. También es importante elegir el recipiente adecuado. La distribución del agua y los nutrientes no es igual en una maceta de arcilla que en una de plástico (ver páginas 40/41).

No hay que pincharse

Generalmente no se piensa mucho en las espinas de los cactus a menos que haya que tocarlos. Pero cuando llega el momento de trasplantarlos hay que buscar alguna solución. Por suerte existen un par de sistemas para que no se dañen ni el cactus ni su cuidador (ver páginas 40/41).

En el exterior

Existen especies que pueden vivir todo el año en el exterior incluso en climas fríos, como por ejemplo las especies procedentes de Canadá o de la Patagonia. Necesitan una zona del jardín en la que reciban mucho sol, quizás incluso aquel rincón al que no le llega la lluvia y en el que las demás plantas no crecen bien porque es muy seco. Si al preparar el terreno emplea la tierra apropiada y cuida de que tenga un buen drenaje, no tardarán en desarrollarse y florecer.

Cuando la maceta está completamente llena de raíces y la planta ya apenas tiene sujeción, ha llegado el momento de trasladarla a una maceta mayor y renovarle el sustrato.

Lo que las raíces necesitan: el sustrato adecuado

El aporte de agua y minerales depende directamente de dónde y cómo arraiga la planta. Pero las necesidades de los cactus y demás suculentas son muy fáciles de satisfacer.

Una buena tierra para plantas deberá proporcionar un buen soporte, permitirá que las raíces crezcan con normalidad y poseerá una estructura estable. Ha de poder absorber agua con rapidez y retenerla aunque antes estuviese completamente seca. Y deberá permanecer suelta y esponjosa incluso estando húmeda, ya que las suculentas no toleran la falta de aireación ni la humedad estancada.

Los principales componentes

El sustrato para plantas que acumulan agua ha de ser muy permeable y con un elevado porcentaje mineral. Pero también son importantes los componentes orgánicos. Hay muy pocas especies que necesiten un sustrato exclusivamente mineral porque no toleran los ácidos húmicos, como es el caso del peyote (*Lophophora*).

Además de tierra para flores (1), el sustrato para cactus contiene también piedra pómez (2), gravilla de lava (3) y arena de cuarzo (4).

Componentes orgánicos

- El compost deberá haber madurado por lo menos 2-3 años, ya que sólo entonces los productos orgánicos se habrán descompuesto en minerales y humus asimilables por las plantas.
- La turba permite una buena ventilación y retiene bien el agua. Además posee una estructura estable, es decir, que se mantiene inalterada durante mucho tiempo.

Minerales arcillosos como tampón

Los minerales arcillosos están formados por partículas de rocas sedimentarias y poseen una gran superficie en la que se pueden acumular otras sustancias, como por ejemplo iones de hidrógeno de la solución del suelo. Al mismo tiempo liberan nutrientes fundamentales para el desarrollo de las plantas, como iones de potasio y de magnesio que pueden ser absorbidos por las raíces. La capacidad de intercambio iónico aumenta cuanto mayor sea la superficie de los minerales arcillosos. El contenido de iones de hidrógeno (H^+) en el agua del suelo determina también su grado de acidez (pH). Cuantos más iones H^+ haya, mayor será la reacción ácida y menor será el valor pH. Si los iones H^+ se fijan a los minerales arcillosos, dejan

Para preparar un sustrato adaptado a las exigencias particulares de cada planta se puede añadir vermiculita (1), perlita (2), cuarzo (3), ceolita (4) o arcilla (5).

de influir en el pH y se produce un efecto tampón. Dicho de otro modo: si el sustrato para cactus contiene minerales arcillosos como la vermiculita y ceolitas magmáticas, éstos no sólo impedirán que el suelo llegue a ser demasiado ácido sino que favorecerán el intercambio de iones, es decir, el aporte de nutrientes. La tierra para flores de buena calidad posee tanto partículas arcillosas como fibras gruesas de turba en suficiente cantidad.

Minerales adicionales

Dado que las suculentas necesitan un sustrato especialmente permeable, se suelen incluir otros minerales adicionales:

- Arena de cuarzo, es arena de río (no calcárea) de grano redondeado.
- Gravilla de piedra pómez, es más ligera y porosa que la de lava.
- Gravilla de lava, es de origen volcánico, muy porosa y con una reacción neutra o ligeramente alcalina.
- Arcilla triturada, se comporta como la lava pero es más ligera y de reacción neutra.

Lo importante es la mezcla

Con los componentes citados se puede obtener un sustrato estándar perfectamente válido para la mayoría de las suculentas. Pero si se conocen las necesidades concretas de cada especie (ver pág. 84) se puede formular la mezcla con mayor precisión.

- **La mezcla mineral** con humus está formada por un 60% de tierra para flores que ya cuente con un buen porcentaje de arcilla. Se le añade un 20% de arena de lava o cascajo de arcilla y un 20% de piedra pómez triturada. Es el sustrato ideal para la mayoría de las suculentas. Si se le añade un 50% de perlita y un 20% de arena se obtiene una mezcla muy adecuada para que arraiguen los esquejes.

Para la reproducción por semillas hay que emplear un sustrato exclusivamente mineral:

- **La mezcla estrictamente** mineral está formada por un 40-50% de gravilla de lava o cascajo de arcilla, 10-20% de arena de río, 30-40% de gravilla de piedra pómez y un 5% de arcilla o ceolita. Se puede mejorar añadiendo un 20% de perlita, un 10% de vermiculita y un 10% de arena. Así se consigue un excelente sustrato para la siembra.

Granulometría

En las macetas pequeñas no hay que poner tierra muy gruesa. Para poder absorber agua y nutrientes, las raíces necesitan estar en contacto con el sustrato. Éste estará formado por partículas de 1 mm, pero también puede tener algunas de hasta 1 cm. Y las fibras de turba pueden ser más largas. Para la siembra es preferible disponer de un grano de hasta 8 mm.

COMPLEMENTOS DEL SUSTRATO PARA SUCULENTAS

Material	Propiedades
Ceolita o vermiculita	Elevada capacidad de hidratación, efecto tampón, intercambio de iones
Gravilla de cuarzo	Para cubrir las semillas y para especies que necesiten un sustrato exclusivamente mineral
Perlita	Poroso y ligero; retiene hasta un 50% de agua, buena ventilación

PRÁCTICA

El cambio de maceta estimula el desarrollo

Para que las suculentas no frenen su desarrollo es necesario trasplantarlas de maceta de vez en cuando. Aplicando un par de sencillos trucos conseguirá no pincharse con sus espinas.

TIERRA FRESCA, MACETA NUEVA

E	F	M	A	M	J	J	A	S	O	N	D

Tiempo necesario:

Para plantar o trasplantar a la planta: 5-15 minutos; para secar las raíces: 2-4 horas

Materiales necesarios:

- sustrato adecuado (por ejemplo mezcla estándar, ver páginas 38/39)
- una maceta de las medidas adecuadas
- material de drenaje en forma de cascajo de arcilla, bolitas de arcilla o gravilla de piedra pómez

Herramientas, accesorios:

- trozos de porexpán o pinza de madera
- papel de periódico
- pala pequeña para plantar
- varilla de plástico o madera

Las plantas de maceta disponen de un espacio muy limitado para el desarrollo de sus raíces. La tierra de los cactus y otras suculentas también se «agota» con el paso del tiempo: pierde sustancia, su estructura se degrada y los nutrientes se consumen, por lo que desaparece el equilibrio en el que se asentaba la planta y del cual dependía su desarrollo tanto aéreo como subterráneo.

El momento adecuado

En cuanto empiecen a asomar raíces por el orificio de drenaje de la base de la maceta será señal de que ha llegado el momento de trasplantar. Las plantitas jóvenes necesitan una maceta adecuada en cuanto empiezan a surgir del semillero (ver páginas 72/73). Generalmente hay que trasplantar al cabo de 2 años, o como mucho al cabo de 5. Si se emplea un sustrato de buena calidad (ver página 39) no hace falta trasplantar hasta al cabo de 4 años. Pero llegado ese momento ya habrá tantos restos de minerales y de raíces que el medio habrá dejado de ser adecuado para la planta.

El recipiente ideal

El diámetro de la maceta dependerá de la anchura y la altura de la planta, así como de las dimensiones de sus raíces.

- Las suculentas columnares necesitan una maceta pesada y estable para que no se vuelquen. El diámetro de la maceta deberá ser 1/3 de la altura de la planta, pero si ésta mide más de 1 m bastará con que sea de 1/4 a 1/6.
- En las suculentas esféricas deberán quedar por lo menos un par de centímetros entre la planta y el borde de la maceta para que se pueda regar y abonar con facilidad. Sin embargo, el diámetro no deberá ser superior a la máxima amplitud de la planta.
- Las especies aplanadas se pueden plantar en cubetas o macetas planas, así la tierra se seca con más rapidez y la relación entre la planta y el recipiente resulta más armoniosa.
- Las especies con raíces suculentas, como el peyote (*Lophophora williamsii*), necesitan unas macetas proporcionalmente muy altas en relación con su diámetro.

¿Terracota o plástico?

La elección de una maceta no es sólo una cuestión de gustos, sino que también implican diferentes cuidados. Para conseguir un buen efecto es mejor establecer una cierta uniformidad en las macetas que vaya a emplear.

- **En las macetas de plástico** la distribución de la humedad es más uniforme que en las de arcilla, ya que el agua sólo se evapora por arriba y puede salir por las aberturas de drenaje de su base.
- **En las macetas de arcilla** se evapora mucha agua a través de la pared, lo cual puede ser una ventaja para las especies sensibles a la humedad. Pero esta transpiración de la maceta provoca también un enfriamiento que a algunas suculentas no les sienta nada bien, y con el tiempo aparecen manchas de cal en el exterior de la maceta. Los maceteros limitan la transpiración, pero conviene eliminar el exceso de agua unas 3 horas después de regar.

Así se trasplanta

Si se deja que el cepellón se seque durante algunos días, luego será más fácil sacarlo de la maceta. Si hace falta, se puede inclinar la maceta hasta poder golpear el borde contra el canto de una mesa. Afloje el cepellón con una varilla de madera y deje que se seque durante 3-4 horas antes de volver a plantarlo. En el fondo de la nueva maceta se colocan algunas bolitas o cascajo de arcilla para que la tierra no tapone el orificio de drenaje. Las plantas recién trasplantadas hay que colocarlas en un lugar cálido y con buena luz, pero no es aconsejable exponerlas a pleno sol hasta pasadas 2-3 semanas. No las riegue hasta al cabo de una semana.

1

Protección para el trasplante
Un buen sistema para evitar pincharse al trasplantar los cactus consiste en sujetarlos con una hoja de papel de periódico enrollada. Sujete firmemente la planta y sáquela cuidadosamente de la maceta.

2

Recortar las raíces
Las raíces sanas son claras y fuertes. Las raíces estropeadas o malolientes hay que cortarlas con una tijera o con una cuchilla bien afilada y desinfectada. Antes de volver a plantar el cactus hay que esperar a que el cepellón se seque por completo.

3

Tener en cuenta la profundidad
Al colocar la planta en la nueva maceta, sitúela a la misma profundidad a la que estaba en la antigua. Si se planta un cactus demasiado hundido en el suelo, es fácil que empiece a pudrirse.

4

Apisonar
Para acabar hay que apisonar bien la tierra alrededor del cactus para proporcionarle sujeción. Ahora ya se puede retirar el papel protector.

PRÁCTICA

Al aire libre: suculentas en el exterior

A algunas personas les sorprende mucho ver en un jardín cactus cubiertos de nieve. Sin embargo, hay especies que viven muy bien en climas fríos.

En el norte y centro de la península sólo pueden pasar todo el año en el exterior aquellas suculentas que sean realmente resistentes a las heladas. Proceden de regiones de clima severo como el de las montañas de Estados Unidos y Canadá, los Andes de América del Sur o los Alpes europeos, donde se encuentran especies tales como las de los géneros *Sempervirum* y *Sedum*. También resisten el frío las especies asiáticas de *Orostachys*, así como *Maihuenia* y *Escobaria sneedii*, *Delosperma* y muchas especies de *Opuntia*. En total hay más de 100 especies resistentes al frío, a las que hay que añadir muchísimas variedades artificiales con maravillosas formas y coloraciones.

UN PLANTEL AL AIRE LIBRE

E	F	M	A	M	J	J	A	S	O	N	D

Tiempo necesario:
- 2-3 horas

Material:
- Malla de drenaje
- Cascajo de arcilla, gravilla de piedra pómez, grava
- Protección contra las malas hierbas
- Granito triturado, lava triturada
- Gravilla, piedras, elementos decorativos

Herramientas, accesorios:
- Pala, laya
- Bloques de porexpán, pinza de madera

El mejor lugar

Para poder mantener a los cactus en el exterior es imprescindible disponer de un lugar bien iluminado y que reciba por lo menos un par de horas de sol directo al día. El suelo deberá ser permeable y sin ninguna tendencia a encharcarse. También puede ser ventajoso disponer de una protección contra el viento. Son ideales aquellos lugares del jardín que resultan demasiado secos o demasiado calurosos para las otras plantas: el arriate bajo el alero del tejado, la fachada sur de la casa, un muro de piedra seca o el arriate orientado hacia el sur. También se prestan los jardines de rocalla, jardineras e incluso una galería sin calefacción.

Protección de la humedad

Un sencillo toldo (ver fotografía 4) ayuda a proteger durante el invierno a especies sensibles a la humedad tales como las de los géneros *Agave*, *Escobaria*, *Pediocactus* o *Sclerocactus*. Si las suculentas van a pasar el invierno en una maceta, será necesario que ésta también sea resistente al frío. Además: es completamente normal que las suculentas se arruguen y se encojan un poco durante su período de reposo invernal, no les pasa nada. Al llegar la primavera se recuperan.

Preparación del arriate

Para poder ofrecerles unas condiciones óptimas a las plantas será necesario que empiece por preparar bien el suelo del arriate:

- Haga que el suelo sea muy permeable, por ejemplo colocando una capa de drenaje a base de cascajo o grava. En los lugares muy húmedos es recomendable cubrir la capa de drenaje con una malla fina para evitar que la tierra llegue a infiltrarse en ella dificultando el paso del agua.

■ La capa de tierra deberá tener unos 20-30 cm de espesor y según la densidad del suelo habrá que añadirle de 1/3 a 2/3 de componentes minerales (lava, piedra pómez, gravilla, cascajo de arcilla). Los suelos exclusivamente de arena hay que mejorarlos con 1/3 de tierra de jardín de buena calidad, compost, tierra para flores o sustrato de turba.

■ Para evitar la aparición de malas hierbas da muy buenos resultados cubrir la tierra con una malla sintética permeable al agua pero muy resistente y que luego se recubre con la última capa de gravilla o lava para que no quede a la vista. Para plantar los cactus basta con recortar unas aberturas en los lugares necesarios. Así las malas hierbas no llegan a aparecer porque no pueden atravesar la malla de abajo hacia arriba.

■ Finalmente se cubre la tierra con una capa de material mineral de unos 3-5 cm de espesor. Se puede emplear lava, gravilla o granito triturado. Esta capa de cobertura facilita el calentamiento del suelo y proporciona una buena ventilación. Así la base de los cactus se seca rápidamente incluso después de muchos días de lluvia y se evita su putrefacción. Además, dificulta mucho la aparición de malas hierbas.

■ Las rocas, la grava y los cantos rodados no sólo ayudan a mejorar la estética del conjunto, sino que también retienen el calor, protegen del viento y crean un microclima adecuado para las suculentas.

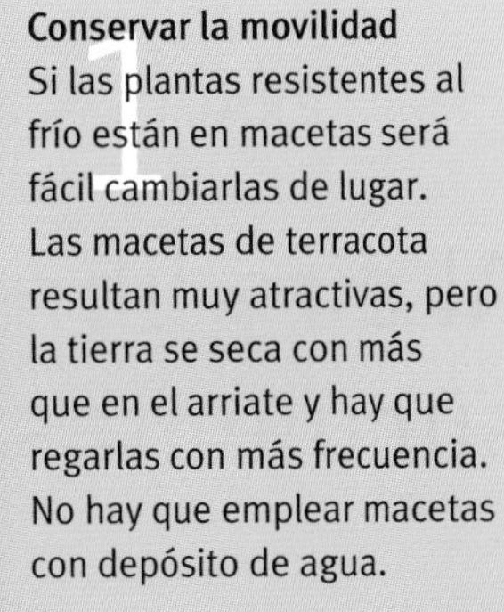

1

Conservar la movilidad
Si las plantas resistentes al frío están en macetas será fácil cambiarlas de lugar. Las macetas de terracota resultan muy atractivas, pero la tierra se seca con más que en el arriate y hay que regarlas con más frecuencia. No hay que emplear macetas con depósito de agua.

2

Mucho sol
Los jardines de rocalla y los muros de piedra seca tienen un buen drenaje y ayudan a que luzcan las plantas pequeñas, tales como las de los géneros *Echinocereus*, *Sedum* o *Sempervirum*.

3

Un lugar resguardado
Los lugares situados bajo el alero del tejado se conservan relativamente secos y cálidos incluso en las noches más frías. Es el sitio ideal para *Cylindropuntia imbricata*, *Echinocereus triglochidiatus* y también para muchas especies de *Opuntia*.

4

Protección contra el viento y la lluvia
Para proteger de la lluvia a las especies más delicadas se puede construir un toldo con un armazón de madera apoyado sobre cuatro estacas. Si dos estacas son más cortas, se conseguirá la inclinación necesaria para que el agua de la lluvia fluya en la dirección deseada.

› PREGUNTAS Y RESPUESTAS

Sugerencias de un experto para plantar y trasplantar

Para el mantenimiento de los cactus es necesario tener en cuenta algunas reglas básicas que les permitirán prosperar perfectamente tanto en macetas como en el jardín. Las preguntas más habituales hacen referencia al sustrato a emplear y a la posibilidad de hacer que las suculentas pasen el invierno al aire libre.

? ¿La tierra para las suculentas se puede mezclar con compost? Y si es así, ¿cuánto tiempo deberá tener?
Para que el compost esté bien descompuesto es necesario esperar por lo menos 3 años antes de mezclarlo con tierra. Entonces ya habrá finalizado la descomposición y las plantas podrán asimilar el humus y los minerales que aporta. Para eliminar posibles agentes patógenos es recomendable colocar el compost húmedo en un recipiente adecuado y dejarlo durante una hora en un horno a 100 °C.

? ¿Hay alguna forma de saber qué cactus necesitan tierra exclusivamente mineral y a cuáles hay que mezclársela con humus?
No existe ninguna regla general, pero sí una orientación: cuanto más se parezca la suculenta a una planta normal, más materia orgánica se podrá añadir al sustrato mineral. Y cuanto más esférica sea su forma y más lento sea su crecimiento, mayor será el porcentaje mineral del sustrato. Los sustratos para suculentas con partículas de humus deberán contener siempre por lo menos un 47% de material mineral para que la tierra cuente con una buena ventilación y absorba bien el agua incluso estando completamente seca.

? Tengo un cactus columnar que no acaba de quedar bien sujeto en su maceta. ¿Puede deberse a que el sustrato es de turba?
La turba sola se emplea únicamente en casos muy concretos. La turba se contrae al secarse, por lo que entonces el cepellón de la planta ya no encuentra sujeción en la maceta. Y al regar, el agua se cuela entre el cepellón y la pared de la maceta. Además los cactus arraigan mal en turba, por lo que ésta no es un sustrato nada recomendable.

? Me gustaría preparar yo mismo el sustrato para mi colección de suculentas. ¿Dónde puedo conseguir los diferentes componentes?
Pregunte en un centro de jardinería importante o visite algún vivero especializado en cactus y otras suculentas. Allí encontrará todo lo necesario y además le asesorarán sobre su empleo. Algunas empresas también suministran a domicilio.

? ¿Hay que desinfectar la lava, la gravilla y la arena antes de su empleo?
No hace falta. Estos materiales se recogen en sus lugares de origen y se comercializan sin que hayan podido estar en contacto con agentes patógenos, por lo tanto no hace falta desinfectarlos. Y lo mismo sucede con otros componentes

tales como perlita, vermiculita, arcilla, cascajo, etc.

? ¿Por qué no se recomienda el empleo de guantes o de pinzas de metal para trasplantar los cactus?
Se pueden emplear guantes, pero tienen el inconveniente de que se pierde el tacto y no se puede trabajar con precisión. Se prestan solamente para manipular ejemplares de gran tamaño, y eso suponiendo que no posean espinas capaces de atravesar el cuero. Las pinzas de madera no se emplean nunca porque es muy fácil que dañen a la planta.

? ¿Se pueden plantar cactus en macetas que no tengan agujero de drenaje?
Si usted sabe apreciar bien cuándo hace falta regar las plantas podrá emplear tranquilamente macetas sin agujero. Pero si no está muy seguro puede emplear un pequeño truco: coloque un indicador del nivel de agua como los que se emplean en los cultivos hidropónicos. Si se acumula agua residual en el fondo de la maceta, éste se lo señalará inmediatamente.
Para ello deberá colocar en el fondo de la maceta una capa de drenaje de 2 cm a base de grava o bolitas de arcilla y cubrirla con una malla especial para que no se cuele la tierra. Encima de ésta ya irá el sustrato para suculentas.

? Al trasplantar, ¿por qué es tan importante cuidar la altura a la que se coloca la planta?
Al trasplantar una planta no hay que hundirla en la tierra más de lo que estaba antes, ni tampoco colocarla más alta. Es fácil orientarse por la marca que el nivel del suelo deja en el tallo. Si la planta se coloca demasiado hundida, se pueden podrir los brotes laterales, y si se coloca demasiado levantada se estropearán algunas raíces.
Pero existen algunas excepciones, como las suculentas de tallo vertical que tienen una base muy gruesa, como *Pachypodium succulentum* o *Adenium obesum*. A éstas se las puede colocar tranquilamente un poco más elevadas sin que sufran ningún daño.

? Mi cactus necesitaría urgentemente un cambio de tierra, pero me han dicho que a los cactus solamente se los puede trasplantar en ciertas épocas. ¿Es eso cierto?
Sí. A finales de otoño, la mayoría de los cactus y muchas otras suculentas inician un período de reposo invernal que dura un par de meses. Su metabolismo se reduce al mínimo y no tienen fuerzas para arraigar en una nueva maceta. Por ese motivo es mejor trasplantarlos a principios de primavera, poco antes de que se inicie su fase de crecimiento, y evitar hacerlo a partir de finales de verano.
Si no hay otra opción, será necesario conservar el cepellón entero y no aflojarlo ni recortar las raíces.

? Tengo algunas suculentas resistentes al frío plantadas en jardineras, pero no sé si tengo que protegerlas de las heladas. ¿Sería mejor cubrir las macetas con una tela aislante del frío?
Generalmente no hace falta. Si se trata de suculentas robustas y resistentes a la intemperie, tolerarán perfectamente que se congelen las macetas y jardineras sin sufrir daños. Para estos casos es preferible emplear macetas de piedra natural o de terracota especial para el frío. También es muy importante asegurarse de que tengan un buen drenaje para que no se pueda acumular agua en el fondo. Si sus jardineras llevan incorporado un depósito de agua, desmóntelo antes de colocar las plantas.

? Al trasplantar se han arrancado las puntas de algunas raíces. ¿Cómo puedo limitar los daños a la planta?
Muchas veces las raíces se adhieren con tanta fuerza a las paredes de la maceta que es imposible desprenderlas sin dañarlas. También se rompen con facilidad las gruesas raíces con forma de zanahoria que poseen algunas suculentas. En estos casos hay que cortar la parte desgarrada con una cuchilla desinfectada y esperar dos semanas antes de colocar la planta en una maceta con sustrato nuevo. En este tiempo las raíces se secarán y se curarán, evitándose así que puedan llegar a pudrirse o que se infecten con hongos. Lo mismo hay que hacer cuando al trasplantar se eliminan las raíces en mal estado.

El cuidado de las suculentas

Coraza dura, corazón tierno. Lo que hacia fuera es fuerte y recio, por dentro suele ser tierno y delicado. A pesar de que muchas suculentas tienen un aspecto robusto y resistente, siempre les sentarán bien unas ciertas dosis de cuidados y dedicación.

En la naturaleza, la capacidad de los cactus y demás suculentas para almacenar agua y nutrientes hace que estén perfectamente adaptadas al medio en el que viven. Sin embargo, colocadas en una maceta en la repisa de la ventana o en la terraza, nuestras exóticas plantas crecerán y florecerán en función de los cuidados que nosotros les proporcionemos. Deberemos controlar sus fases vegetativas y de reposo, regarlas y proporcionarles el abono que necesitan, y para ello hace falta algo de experiencia y de sensibilidad. La clave del éxito está en la estrategia que emplean los cactus y demás suculentas para invernar. Distinguiremos tres grupos con diferentes necesidades: especies que hibernan en un lugar fresco dentro de casa, especies que pasan el invierno dentro de casa y con calefacción, y suculentas resistentes al frío que soportan el invierno a la intemperie. Si cuidamos a las plantas de acuerdo con las necesidades del grupo a que pertenecen, es difícil que algo pueda salir mal.

Regar y abonar

A las suculentas no hay que mantenerlas siempre húmedas. Lo mejor es regarlas siguiendo un cierto ritmo en el que resultan factores determinantes la iluminación y la temperatura ambiental. Éstos son los que nos indicarán cuándo y cuánto hay que regar. Para abonar a las distintas especies no hace falta complicarse la vida con recetas. Bastará con dos abonos combinados de la forma adecuada.

Otros cuidados

Cuando el cactus llega hasta el techo o ha producido brotes que alteran completamente su forma, habrá que podarlo. Y llegado el momento es importante saber cómo y con qué habrá que hacerlo. También es muy importante examinarlos regularmente en busca de parásitos o síntomas de enfermedades. Los cuadros sintomáticos también nos permiten detectar a tiempo los errores de mantenimiento y así poderlos corregir.

Si en la repisa de la ventana no se dispone de mucho espacio, se puede colocar una estantería de vidrio para suculentas de pequeño tamaño.

Diversidad de necesidades: los tres grupos principales

Si se conocen las diversas estrategias a que recurren los cactus y similares para soportar el invierno, no resulta tan difícil saber qué especies preferirán pasar el invierno en un ambiente caldeado y a cuáles les sentará mejor el frío.

Algunas especies, como Gymnocalycium saglionis, *pueden pasar el invierno tanto con calor como con frío.*

Muchos cactus y otras suculentas necesitan periódicamente una fase de reposo que les permita recuperar fuerzas para florecer y crecer. Pero ¿cómo se puede saber de entrada si un cactus necesita pasar el invierno en un lugar cálido o si le irá mejor el frío? Y precisamente éste es un factor decisivo para que nuestras punzantes compañeras crezcan sanas y fuertes. Muchas veces no es ni siquiera la falta de conocimientos sobre las necesidades específicas de una planta, sino la carencia de las condiciones necesarias para poder hacerla hibernar en frío. Antes de comprar sus plantas, medite bien si va a poder ofrecerles un lugar adecuado para pasar el invierno. En las suculentas distinguimos tres grupos de plantas:

- Algunas **especies de interior** necesitan un **lugar fresco** para su fase de reposo invernal. Muchos de los cactus «clásicos» pertenecen a este grupo, como por ejemplo *Mamillaria* y *Rebutia.*
- Las opuntias, los cactus de los géneros *Echinopsis, Lobivia* o *Tephrocactus* y las suculentas *Echeveria* y *Pachyphytum* deberían poder pasar el invierno en un lugar fresco, pero su floración no depende de este reposo invernal.
- Algunas **especies de interior** pueden pasar el invierno en un lugar **cálido** y no necesitan un **período de reposo**. Éste es afortunadamente el caso de la mayoría de las suculentas, incluyendo algunos cactus como por ejemplo *Aprocactus, Arrojadoa, Discocactus, Frailea, Melocactus* y especies epífitas como *Epiphyllum, Rhipsalis* y *Schlumbergera.*
- *Echinocactus, Ferrocactus, Gymnocalycium, Notocactus, Lophophora, Parodia* y *Selenicereus* son **especies facultativas** que pueden pasar el invierno tanto en un lugar frío como en uno cálido.
- Entre las especies **resistentes a las heladas** que pueden pasar el invierno en **el exterior** tenemos las de los géneros *Delosperma, Maihuenia, Opuntia, Orostachys, Sedum, Sempervirum* y *Yucca* (ver páginas 42/43).

Interior cálido

Muchas suculentas necesitan tener calor durante todo el año y pueden pasar los meses de invierno en su lugar habitual y bien iluminado. Puede ser tanto la repisa de la ventana del salón, como la del despacho o incluso una galería con calefacción. En los lugares con semisombra se pueden colocar cactus epífitos como los del género *Ripsalis* y similares (ver página 14).
En las ventanas orientadas al norte se pueden colocar especies que en sus lugares de origen no vivan a pleno sol, como las aloeáceas del género *Haworthia* o la planta crasa *Aeonium tabuliforme* (ver página 20). Por regla general, cuanto más caluroso sea el lugar, más luz necesitan las plantas (ver página 22).
Muchas de las especies recomendables para sitios calientes proceden de regiones tropicales o subtropicales en las que la temperatura es cálida durante todo el año. En las regiones húmedas o muy

lluviosas, las suculentas colonizan las llamadas «islas secas», en las que la falta de agua hace que no puedan prosperar otros vegetales. La mayoría de las suculentas necesitan muy poca agua durante el invierno, por lo que durante el período de reposos deberemos regarlas muy poco y no abonarlas en absoluto.

Tanto Echinocactus grusonii *como las diversas especies de* Ferocactus *se pueden mantener en invierno en un lugar caliente o frío.*

Riego durante la época de reposo

Las plantas de este grupo plantean muy distintas necesidades de agua y nutrientes:

- A los cactus hay que regarlos muy poco, lo justo para compensar la humedad que puedan perder a causa del aire caliente y seco de la habitación. Además, si se los regase empezarían a crecer. Y eso no es en absoluto deseable ya que la falta de luz les proporcionaría un desarrollo débil y con falta de espinas.
- Las euforbias tienen necesidades muy diversas. Algunas especies, como la espina de Cristo, siguen creciendo en invierno y necesitan suficiente agua y nutrientes. Pero las euforbias con aspecto de cactus como *Euphorbia obesa* o *E. globosa* en preferible mantenerlas en seco.
- La palma de Madagascar (*Pachypodium*), así como *Aloe, Conophytum, Gasteria, Haworthia, Kalanchoe* y *Senecio,* hay que seguirla regando y abonando con moderación.

El calor de la calefacción es peligroso

Las habitaciones con un ambiente excesivamente caldeado y los emplazamientos cercanos a un calefactor pueden causar daños irreversibles a las plantas, y en casos extremos pueden llegan a producirles quemaduras. Son especialmente sensibles aquellas que pasan parte del año en el exterior y a las que en otoño trasladamos a una habitación con calefacción. Es muy importante colocarlas siempre a una cierta distancia del calefactor, incluso en el caso en que la calefacción esté situada bajo el suelo. El calor

Sugerencia

EN INVIERNO HAY QUE REGAR CON MODERACIÓN

Para no regar demasiado, ni demasiado poco, basta seguir una sencilla regla. Guíese por el diámetro de la maceta:

‹ 10 cm: cada 2-4 semanas, 25-100 ml

12-18 cm: cada 3-4 semanas, 100-200 ml

› 19 cm: cada 4-8 semanas, como máximo el 10% del volumen

ascendente seca mucho el cepellón de la planta y entonces ésta necesita más riego de lo habitual, lo cual aumenta su desarrollo de forma indeseada ya que crece sin fuerza. Para evitarlo basta con colocar la maceta sobre una base de corcho, madera o porexpán. Para las plantas de gran tamaño resulta muy útil emplear bases o maceteros provistos de ruedas o deslizadores (como por ejemplo las que se emplean en los hidrocultivos), ya que así se pueden desplazar fácilmente de un lugar a otro. Si la repisa de la ventana es muy estrecha también puede suceder que las plantas reciban más aire caliente del que necesitan. En estos casos, lo mejor es colocar una tabla más ancha debajo de las plantas.

Mammillaria y *Echinopsis* son unos de los cactus «clásicos» que es preferible invernar en un lugar fresco.

Interior fresco

La mayoría de los cactus «clásicos» necesitan pasar el invierno en un lugar fresco y con buena luz. Durante este período de reposo invernal, las especies de los géneros *Mammillaria* y *Rebutia* producen yemas que florecerán espléndidamente al llegar la primavera. La importancia de invernar a este grupo de especies en un lugar fresco se comprueba en cuanto no es posible proporcionarles las condiciones que necesitan. Entonces las plantas se debilitan, se ven atacadas por parásitos y no florecen.

Ambiente frío

El reposo invernal se inicia a finales de octubre y se prolonga durante 2-3 meses a temperaturas de 5-15 °C. Durante este tiempo no hay que regar a las plantas. Durante el período de sequía los cactus pueden consumir hasta 2/3 de su reserva de agua sin sufrir el más mínimo daño. Durante todo este tiempo reducen al mínimo sus procesos vitales y desarrollan sus yemas florales. Pero para ello es imprescindible que durante la temporada anterior hayan podido cargar suficientemente sus reservas de nutrientes. Antes de trasladar la planta al lugar en el que va a pasar el invierno hay que asegurase de que su cepellón se haya secado por completo. De lo contrario podrían pudrirse las raíces. Durante el período de reposo, los cactus toleran bien tener menos luz que durante el resto del año. Cuanto más frío haga, menos luz necesitarán. A 8 °C basta con la luz tenue de una ventana del sótano. A las suculentas a las que no es imprescindible mantener en frío también les sienta muy bien un período de reposo sin riego, a pesar de que no sea imprescindible para ellas (ver páginas 48/49).

Lugares apropiados

En primavera y en verano, los cactus de este grupo necesitan lugares cálidos y con una buena iluminación. Pero en invierno habrá que colocarlos en zonas de la casa sin calefacción. Los lugares ideales son:

Recuerde

BIEN PREPARADOS PARA EL REPOSO INVERNAL

- ✔ No riegue ni abone las plantas en las 3-4 últimas semanas antes de ponerlas a invernar.
- ✔ No coloque a las suculentas cerca de una fuente de calor.
- ✔ A las especies de floración temprana, como las de los géneros *Mammillaria* y *Stenocactus*, sitúelas en lugar con buena iluminación.
- ✔ Si es necesario, proteja de la lluvia a las especies que pasen el invierno al aire libre.

Para que Rebutia *llegue a florecer con este esplendor es necesario que pase su fase de reposo invernal en un lugar fresco y seco. Solamente así llegará a producir yemas florales.*

- un dormitorio con mucha luz
- el espacio interior de una ventana doble (con vidrio interior y exterior)
- un recibidor fresco o el hueco de la escalera
- una galería sin calefacción
- una terraza cerrada
- un invernadero con una temperatura máxima de 15 °C.

Como ubicación **temporal** durante los meses de invierno también se pueden aprovechar lugares frescos a los que no llega mucha luz natural:

- un sótano con ventanas, que deberá ser más frío cuanto menos luz reciba
- el hueco de una escalera con poca luz cenital
- un dormitorio orientado al norte y sin calefacción.

En primavera y en verano habrá que colocar a las plantas en lugares cálidos y soleados en los que puedan lucir en todo su esplendor:

- una ventana del salón orientada al sur
- una pérgola protegida o un balcón
- una terraza y jardín

Cambio repentino

Después de los largos meses de invierno, los cactus y otras suculentas no toleran bien que se los coloque directamente a pleno sol. Colocados detrás de una ventana, el vidrio filtrará gran parte de la radiación UV. Pero al aire libre no contarán con ninguna protección y tendrán que adaptarse antes para evitar que sufran quemaduras superficiales. Lo ideal es que los 3-4 primeros días al aire libre los pasen en un lugar con semisombra o bajo una sombrilla, o bien sacarlas solamente cuando el cielo esté nublado.

Especies al aire libre

Los cactus y demás suculentas resistentes al frío no sólo dan un toque muy exótico y personal al jardín, sino que además son unas de las plantas de arriate y jardinera más robustas y fáciles de cuidar. Naturalmente, para esto sólo se pueden emplear especies que en sus lugares de origen también estén expuestas a unas condiciones climáticas extrema, y que toleren bien tanto el calor y la sequía como el frío intenso y la nieve (ver páginas 42/43). Se las encuentra en las regiones montañosas de América del Norte y América del Sur (cactus), en los Alpes (*Sedum, Sempervivum*), en el Himalaya y en las regiones montañosas de China (*Orostachys*), donde viven en unas condiciones muy distintas a las de la Europa templada y en las que imperan una intensa radiación solar y una escasa humedad del suelo y del aire. Las perjudican menos las temperaturas extremadamente bajas que la humedad y los días de invierno con el cielo nublado. Por lo tanto, es muy importante elegir bien su emplazamiento y colocarlas en un lugar que tenga muy buen drenaje (ver páginas 42/43).

Agave utahensis *es muy resistente al frío, pero sus rosetas toleran mal la humedad.*

Protección contra las heladas

A todas las suculentas resistentes al frío les sienta muy bien que dejemos de regarlas durante el invierno, ya que eso se corresponde con las condiciones de su medio natural. Al reducirse el aporte de agua, aumenta la concentración de minerales y otros nutrientes en los fluidos de las células y tejidos de las plantas, por lo que cuesta más que lleguen a congelarse. Es sabido que el aumento de la concentración de sales en una disolución acuosa disminuye su punto de congelación, como sucede con el agua de mar. La disminución de la cantidad de fluidos hace que las células pierdan turgencia, y por lo tanto es más difícil que lleguen a reventar. Por lo tanto, cuando las opuntias se arrugan y encogen en invierno lo hacen como protección natural contra las heladas. En cuanto llega la primavera y las temperaturas vuelven a aumentar, se llenan de agua y recuperan su apariencia habitual.

Un buen aporte de nutrientes

La resistencia al frío depende mucho de una buena reserva de nutrientes. Las plantas mal nutridas no pueden acumular muchas reservas en las células, lo que disminuye la concentración en su savia y las hace menos resistentes al frío. Además, las plantas mal nutridas son más débiles y más propensas a enfermar (ver páginas 54/55). Por lo tanto, es importante abonar periódicamente las plantas que están en el exterior. Adminístreles un fertilizante mineral dos o tres veces al año a razón de 20-40 g/m². Los fertilizantes sólidos se administran de abril a junio esparciéndolos sobre la tierra y mezclándolos un poco con ésta. Cuide de que los granos de fertilizante no queden sobre la planta ya que le podrían causar quemaduras.
Los fertilizantes líquidos resultan muy prácticos para macetas y jardineras que se tengan que regar. Se emplea una concentración de 10 ml de fertilizante líquido en 10 litros de agua y se administra una vez al mes de abril a julio. Entonces se deja de abonar para que los brotes maduren sin crecer más para soportar bien el invierno.

Regar lo suficiente

El principal período vegetativo de las suculentas se prolonga de abril a julio, y durante ese tiempo, según el clima, la lluvia suele proporcionarles toda el agua que necesitan. Pero habrá que regar a aquellas que estén en lugares protegidos de la lluvia. A los cactus y demás suculentas no les afectan en absoluto los períodos de sequía muy prolongados, pero tampoco crecen durante ellos. Y esto se aplica especialmente a las macetas y jardineras, que se deshidratan con mayor rapidez, así como a las zonas bajo techo. En otoño hay que cuidar de que

En este rincón pedregoso al aire libre se han desarrollado muy bien tanto Sempervivum *como varias especies de* Opuntia.

el sustrato para *Deleosperma, Opuntia, Sedum* y *Sempervivum* esté lo suficientemente húmedo como para que no se sequen sus raíces. *Maihuenia* necesita bastante humedad durante todo el año, incluso en invierno. A las especies muy sensibles a la humedad hay que proporcionarles un tejado protector tanto en invierno como durante los años muy lluviosos (ver páginas 42/43).

Distribución de un arriate al aire libre

Las especies que viven a la intemperie siempre resultan muy atractivas, tanto si están en un jardín de rocalla como en macetas en una terraza. Las especies que necesitan más espacio son los cactus muy altos, como *Cylindropuntia*, y todas las especies de *Opuntia* de desarrollo arbustivo. Es necesario mantener una distancia de 30-40 cm entre las plantas. A las especies de crecimiento vertical es mejor colocarlas como fondo, para que las demás plantas del arriate destaquen en primer término. Tenga en cuenta que los cactus columnares son sensibles al viento y que puede ser necesario protegerlos o atarlos a un tutor.
Los cactus de forma esférica como *Echinocereus* y *Escobaria* son de crecimiento lento y no alcanzan un tamaño muy grande, por lo que pueden plantarse a unos 20 cm de distancia.
Delante pueden plantarse *Delosperma, Orostachys, Sedum* y *Sempervivum*, cuya interesante variedad de formas y colores proporciona hermosos contrastes. Son de pequeño tamaño, al igual que las distintas variedades de *Opuntia fragilis*, y crecen cubriendo el suelo. Su gran necesidad de expansión hace que no se deban colocar cerca de otras especies pequeñas y de crecimiento lento. Los curiosos cactus centroamericanos del género *Maihuenia* tienen tallos cortos con hojas pequeñas y gruesas así como largas espinas, y se extienden tapizantes o formando conjuntos semiesféricos. También resultan muy atractivas las hojas de las distintas especies de *Yucca*, que destacan mejor como plantas solitarias. Conviene situarlas por lo menos a 40-50 cm de distancia de la planta grande más cercana. Algunos agaves también son resistentes al frío y ofrecen un agradable contraste, pero sólo hay que plantarlos en lugares protegidos y en invierno hay que proporcionarles una protección contra la lluvia. También la necesitan *Austrocactus, Pediocactus, Pterocactus, Puna, Sclerocactus* y *Tephrocactus*, que son cactus muy interesantes pero que a su vez requieren una cierta experiencia con estas plantas.

Poda y rejuvenecimiento

Los tallos demasiado largos, dañados o heridos hay que cortarlos. Para ello se los sujeta firmemente con una pinza (se puede usar incluso la de poner la carne en la barbacoa) y con la otra mano se los corta directamente por la base, empleando un cuchillo afilado o una tijera de jardín.
Delosperma, Sedum y *Sempervivum* tienden a desplazar a las especies más pequeñas y hay que recortarlos para que no crezcan demasiado. Recorte su perímetro con la tijera de jardín o con un cuchillo. Naturalmente, si las partes podadas están sanas se pueden emplear también como esquejes (ver páginas 74/75). Pero para ello es mejor no podar pasado el mes de julio.

PRÁCTICA

Regar y abonar lo necesario

Aunque las suculentas pidan muy poco y sean capaces de resistir mucho con sus reservas, para poder desarrollarse sanas y fuertes también necesitan agua y nutrientes: unas más, otras menos.

La frecuencia y la cantidad con que habrá que regar y abonar los cactus y demás suculentas dependerá del grupo en el que se incluyan (ver páginas 48-53). Muchas suculentas necesitan un riego y un aporte de nutrientes regular a lo largo de todo el año, mientras que la mayoría de los cactus tienen un período de reposo invernal durante el que no hay que regarlos ni abonarlos en absoluto.

Así se riega

A los cactus y similares les conviene un agua blanda, sin cal. Lo mejor es emplear agua de lluvia, pero también se puede usar agua del grifo con una dureza de hasta 18 °dH (grados alemanes de dureza). Si el agua es más dura habrá que descalcificarla con un descalcificador de uso doméstico. Al regar hay que asegurarse de que el cepellón se humedezca por completo. Cuando se seque la tierra, a los cactus no hay que volver a regarlos hasta al cabo de 5-7 días. En las plantas suculentas

1

Regar sobre la tierra
¡Todo lo bueno nos llega de arriba! La mayoría de las suculentas incluso toleran que se moje toda la planta al regar. El agua sobrante irá a parar al plato de debajo de la maceta y habrá que eliminarla.

2

Regar desde abajo
Si se vierte el agua en el plato, el sustrato la absorberá por capilaridad hacia arriba. Al cabo de un rato hay que observar si ha absorbido toda el agua y eliminar la que sobre.

3

Hidrocultivo
En los hidrocultivos se añade tanta agua como la planta y el sustrato sean capaces de absorber en medio día (aproximadamente hasta la marca del nivel mínimo de agua). A continuación no se riega más durante un período de 2-7 días.

con hojas conviene esperar de 1-3 días hasta el próximo riego. Da igual que se riegue desde arriba o que la planta absorba el agua por capilaridad desde abajo. El agua sobrante que queda en el plato de debajo de la maceta hay que eliminarla lo antes posible para evitar que se pudran las raíces. También es posible emplear macetas de hidrocultivo, siempre y cuando se riegue solamente hasta la señal del mínimo y se mantengan las pausas indicadas cuando baje el indicador.

Después del período de reposo

A principios de marzo, el aumento de las horas de luz hace que las suculentas que hayan pasado el invierno en un lugar fresco junto a la ventana inician su nuevo período vegetativo. A partir de ese momento también necesitan que volvamos a regarlas, excepto las piedras vivas (ver página 22 y a partir de la página 84). Al principio también se las puede mojar con un pulverizador para estimular su desarrollo. A las plantas les sentará bien la ducha con la regadera o con el pulverizador de mano. Después habrá que esperar una semana y ya podremos empezar a regarlas periódicamente desde marzo hasta finales de verano según sus necesidades específicas. A partir de octubre hay que dejar que el cepellón se seque por completo.

Bases del abonado

Por desgracia, para que las suculentas reciban todos los nutrientes que necesitan no basta con darles aire y cariño. A través de sus raíces absorben principalmente nitrógeno, fósforo, potasio, calcio y magnesio, así como pequeñas cantidades de oligoelementos tales como azufre, hierro, boro, cinc, cobre y molibdeno. Si se emplea una buena tierra para cactus (ver páginas 38/39) ya contendrá todos los elementos necesarios, pero será necesario abonar regularmente durante el período vegetativo. En las suculentas, los estados carenciales suelen evidenciarse con mucho retraso y no se pueden corregir de inmediato. La necesidad de nitrógeno es especialmente elevada en las suculentas con hojas. Los cactus necesitan bastante nitrógeno en primavera, después del período de reposo, pero a partir de julio se puede disminuir la cantidad.

NUTRIENTES PRINCIPALES

Elemento	Efectos
Nitrógeno	Estimula la floración, el desarrollo vegetativo y la resistencia al frío
Fósforo	Aporta energía, fortalece los órganos reproductores
Potasio	Aumenta la presión osmótica, la fotorresistencia y la absorción de agua
Magnesio	Es un componente importante de la clorofila y los portadores de fosfatos

Cuánto, cuándo y con qué

Lo mejor es emplear un fertilizante especial para cactus, ya que está formulado especialmente para cubrir las necesidades de las suculentas. Existen fertilizantes en polvo que se disuelven en agua, y fertilizantes líquidos que se añaden directamente al riego. Lo importante es seguir al pie de la letra las instrucciones del envase. Un exceso de sales minerales podría «quemar» las raíces de las plantas. Guíese por las necesidades específicas de cada planta (ver cuidados en las descripciones de especies). Durante el período vegetativo principal se puede añadir también un abono de buena calidad para plantas con hojas: a las plantitas jóvenes y a las suculentas con apariencia de cactus se les administrará solamente en primavera alternándolo con el abono para cactus, mientras que a las suculentas con hojas se las puede seguir abonando durante el verano alternando ambos fertilizantes.

Respetar el período de reposo

A las suculentas que efectúan un reposo invernal no hay que empezar a abonarlas hasta 4-6 semanas después de iniciar el nuevo período vegetativo. Para entonces ya se habrán recuperado de la deshidratación que han sufrido durante los meses invernales. Las especies de crecimiento lento necesitan muy poco abono: aproximadamente 0,5-1g en 1 l de agua en riegos alternos. A partir de septiembre hay que dejar de abonarlas para que se preparen para el período de reposo.

PRÁCTICA

Conservar las formas: cómo podar correctamente

A pesar de que las suculentas suelen crecer muy lentamente, llega un momento en que conviene podarlas para que conserven su buen aspecto.

Siguiendo el lema de «En el momento adecuado, por el lugar correcto» podremos podar los cactus y otras suculentas para renovar su vitalidad, eliminar tallos débiles o estropeados, y hacer desaparecer manchas antiestéticas y quemaduras, y todo ello sin dañar a la planta ni impedir su posterior desarrollo. Pero para ello es necesario respetar algunas reglas básicas, ya que no se puede cortar la planta por cualquier parte ni empleando cualquier herramienta. También puede suceder, como en el caso de las euforbias, que la planta segregue una savia lechosa y que debamos tener a mano agua caliente y un paño de cocina para poder detener rápidamente su flujo.

La poda rejuvenece

Existen muchos argumentos a favor de someter a los cactus y otras suculentas a una poda de mantenimiento para estimular su vitalidad y fortalecer su desarrollo.

- Muchas veces no hay más remedio que podar a los ejemplares de más edad por una simple falta de espacio.
- A los cactus columnares que a partir de un determinado tamaño empiezan a inclinarse peligrosamente es necesario podarlos para garantizar su estabilidad.
- La poda permite recuperar la forma compacta de la planta a base de eliminar los tallos débiles y alargados que hayan podido surgir.
- Con el paso de los años, algunas plantas (como *Crassula portulacea*) tienden a perder todas las hojas de su parte inferior.
- Recortando los tallos trepadores se consigue frenar la expansión de algunas especies.
- En las especies que se retraen durante el período de reposo,

1 Aplicar el cuchillo
Las plantas ramificadas, como las euforbias candelabro, se cortan a media altura entre los brazos laterales empleando un cuchillo bien afilado. Si los tallos están muy lignificados hay que emplear una sierra o un cuchillo aserrado.

2 Guiar el corte
El corte se suele efectuar horizontal. Pero si la planta está situada en un lugar en el que puede caer agua sobre el plano de corte será mejor hacerlo ligeramente inclinado para que esta corra mejor.

como *Bowiea*, se cortan los tallos secos.

- Las plantas colocadas en macetas colgantes lucen mucho más si se mantienen a raya sus tallos.

¿Por dónde hay que cortar?

El lugar para efectuar el corte dependerá del tipo de planta de que se trate. Por ejemplo, una planta ramificada en forma de candelabro no se poda del mismo modo que un cactus columnar.

- Los cactus columnares sin ramificaciones (como *Cereus*) suelen crecer por su extremo superior. Por lo tanto, si la planta se ha hecho demasiado grande puede cortarla sin miedo hasta dejarla en una talla aceptable. Si no la poda lo suficiente pronto habrá vuelto a crecer hasta recuperar su talla anterior. Los trozos de tallo obtenidos al podar son unos esquejes excelentes (ver páginas 74/75).
- En las suculentas columnares con brotes laterales (como *Euphorbia ingens*) hay que cortar el tallo principal a media altura entre los dos brotes laterales superiores. Si se desea separar una de las ramificaciones basta con cortarla a ras del tallo principal.
- Los cactus que forman matorrales arbustivos se podan cortando por el punto de unión de sus miembros, o sea, por el más estrecho. Así se hace

BIEN EQUIPADOS PARA LA PODA

Tiempo necesario:

10-15 minutos

Materiales necesarios:

- Alcohol o carbón vegetal en polvo para desinfectar
- Cicatrizante
- Agua caliente (< 50 °C)
- Paño de cocina

Herramientas, accesorios:

- Cuchillo afilado o sierra para las zonas lignificadas

3

Cortar los cantos del plano de corte
Al podar hay que cortar oblicuamente unos milímetros del extremo de las costillas para que el nuevo brote disponga de una base más estable y adquiera una mejor forma al crecer.

4

Taponar el flujo de savia
Para detener el flujo de savia lechosa de las euforbias hay que mojar un paño de cocina con agua bien caliente y aplicarlo sobre el plano de corte.
Las manchas que hayan podido quedar sobre la planta se limpian con agua tibia.

5

Aplicar cicatrizante
Cuando el corte empiece a secarse se puede tratar con un cicatrizante líquido del que se esparce una fina capa sobre la herida.

un corte relativamente pequeño y la planta se recupera muy bien.

- Las zonas de la planta que estén en mal estado se cortan hasta llegar al tejido sano, claro y sin coloraciones anormales. Al acabar se elimina otra pequeña capa como medida de seguridad y se desinfectan bien las herramientas empleadas.
- Para conseguir que las plantas de los géneros *Crassula*, *Senecio*, *Euphorbia* y *Kalanchoe* se ramifiquen por su extremo superior de forma arborescente es necesario empezar por cortar el tallo principal a la altura deseada. A continuación se podan los brotes laterales de modo que queden más cortos que el principal. En cuanto la planta alcance la forma deseada, bastará con cortar los brotes que sobresalgan demasiado y no tocar los demás. La siguiente vez no se tocarán los brotes que se podaron al principio y se recortarán los otros. De esta forma la planta siempre conservará la forma deseada y no hará falta someterla a una poda severa.
- Para que las plantas suculentas con hojas puedan volver a brotar es necesario dejar siempre suficientes yemas. Éstas están situadas en las areolas de la base de las hojas, de donde también brotan hojas o espinas (ver página 17). El nuevo brote nunca sale entre dos hojas, ni siquiera si éstas ya se han caído, sino siempre de la base de una hoja, por lo que al podar habrá que cortar ligeramente por encima de éstas. El resto del tallo acabará secándose. Pero si la base de la hoja está seca y lignificada ya no volverá a brotar y la poda no surtirá ningún efecto.

El momento adecuado

Las especies que pasan el invierno en un lugar fresco conviene podarlas inmediatamente después del período de reposo y antes de que empiecen a brotar. Pero también se las puede podar entre abril y septiembre.
Las especies sin reposo invernal es mejor podarlas a finales de verano, hacia septiembre.

Información

CRECIMIENTO ARBUSTIVO A PARTIR DE ESQUEJES

En muchas suculentas como *Rhipsalis*, *Crassula lycopodioides*, *Cynanchum marnierianum* y *Kalanchoe* se puede conseguir un desarrollo arbustivo mediante esquejes (ver páginas 74/75). Después de cortar los esquejes hay que dejarlos secar durante 1-2 días. Haga un hoyo al lado de la planta madre, coloque los esquejes y apisone bien la tierra. Al cabo de 3-4 días riéguelos con agua sin fertilizantes. Los esquejes no tardarán en arraigar.

Cómo hacerlo

Las plantas de tejidos blandos se cortan bien con una cuchilla bien afilada, y hay que hacerlo tirando de la cuchilla hacia uno. Las ramificaciones duras y ligeramente lignificadas se pueden cortar con una buena tijera de jardín, pero para las que ya tienen muchas fibras leñosas es mejor emplear un cuchillo con la hoja aserrada. Los ejemplares viejos y de gran tamaño se cortan mejor con una buena sierra de mano.

Corte

Generalmente se corta por un plano horizontal, pero en el caso de que pueda gotear agua sobre el plano de corte (como sucede en los cactus plantados al aire libre) es mejor realizar un corte ligeramente inclinado, para que el agua corra mejor y no se produzcan infecciones por hongos. Los planos de corte todavía habrá que retocarlos con un cuchillo afilado, biselando un poco las aristas o pliegues laterales de la planta. Así el nuevo brote dispondrá de una base más estable y no se doblará cuando gane en longitud y en peso. Además, el plano de corte resultará más estético que si fuese completamente liso.
Por motivos higiénicos, al podar plantas sanas es necesario limpiar la cuchilla con alcohol. Si se cortan partes enfermas conviene desinfectarla después de cada corte.

Cuidado de la herida

En algunos cactus y otras suculentas puede salir mucha

savia por la herida. Para detener la «hemorragia» e impedir una infección por hongos es muy conveniente tratar la herida con carbón vegetal en polvo. Al igual que en los frutales y los arbustos ornamentales, aquí también podemos tratar las heridas con productos cicatrizantes especiales que venden en los comercios del ramo. Pero en los tallos finos no es necesario hacerlo. Durante el período vegetativo, la vitalidad de la planta es más que suficiente para curar las heridas.

¡Cuidado! Savia lechosa

Si se poda a las *euforbias* antes de que empiecen a brotar en primavera, se desarrollarán más vivaces y ramificadas. Pero hay que tener en cuenta que todas las euforbias poseen una savia tóxica de aspecto lechoso que puede causar serias irritaciones si entra en contacto con los ojos o con las mucosas. El flujo de savia se detiene rápidamente si en el plano de corte se aplica un trapo empapado en agua muy caliente. Sin embargo, para evitar quemar los tejidos vegetales es necesario que la temperatura del agua no llegue a los 50 °C. Las manchas que puedan quedar en la planta, en la ropa o en las manos hay que limpiarlas inmediatamente con agua tibia.

1

Hace falta rejuvenecer
La zona central de este ejemplar de *Crassula portulacea* está un poco vacía. Los brotes han crecido en longitud pero se han ramificado poco y no se curvan mucho hacia los lados.

2

Poda correcta
Se efectúa una poda de rejuvenecimiento hasta llegar a los tallos gruesos y fuertes por encima de las primeras hojas. Procure que los vástagos laterales queden más cortos que el tallo central.

3

Recuperación apreciable
Al cabo de poco tiempo la planta volverá a brotar espléndidamente. Ahora su aspecto es más compacto y luce un color verde más intenso.

Peligro identificado, peligro eliminado

Si se cuida bien a las plantas y se les proporciona un emplazamiento adecuado es difícil que lleguen a aparecer seres indeseables. Pero si llegase a suceder, sólo podemos hacer una cosa: ¡estrechar el cerco al enemigo!

Las plantas no siempre presentan un aspecto vital y saludable. Eso es algo completamente normal. Incluso en sus biotopos naturales es fácil encontrar ejemplares enfermos, defectuosos o muertos. Forman parte del inexorable proceso de selección natural que mejora la especie permitiendo que sólo sobrevivan los mejores. De ello se encargan una serie de organismos que, si se presentan en casa, consideramos como dañinos. Pueden ser virus, microorganismos como hongos y bacterias, ácaros o insectos chupadores. Atacan principalmente a las plantas que brotan en lugares inapropiados, ya que éstas suelen estar débiles y carecen de las defensas necesarias. Las plantas cultivadas también pueden enfermar a causa de elegir un emplazamiento incorrecto o de no proporcionarles los cuidados adecuados. Muchos de los parásitos típicos de las suculentas aparecen a causa de la debilidad de las plantas (ver páginas 64/65) y no suelen hacer acto de presencia si éstas están bien cuidadas. Pero si llegasen a aparecer, se los puede combatir con métodos poco agresivos.

A las plantas débiles podemos revitalizarlas muy bien aplicándoles directamente una solución de aminoácidos.

Causa y efecto

Muchas veces las parasitosis se deben a un desconocimiento acerca del emplazamiento que necesita la planta. *Echinocereus viridiflorus*, por ejemplo, es un cactus propio de las regiones montañosas del oeste de Estados Unidos y que está perfectamente adaptado a un clima frío, por lo que no le sentará nada bien pasar el invierno en una habitación con calefacción. En esas condiciones, los tejidos vegetales se vuelven blandos y rápidamente son presa de la cochinilla algodonosa.
También existe un cuidado erróneo si *Mammillaria* o *Rebutia* no florecen después del período de reposo invernal. Eso es señal de que han pasado el invierno en un ambiente demasiado cálido y no han podido desarrollar sus yemas florales. Por lo tanto, conviene informarse detalladamente

El extracto de equisetos se vierte en el agua del riego y sirve para reforzar las defensas de la planta.

sobre el origen de las plantas y ofrecerles un lugar adecuado (ver detalles en las descripciones de especies). Si usted les proporciona un emplazamiento adecuado y les refuerza sus defensas con algún producto, como por ejemplo extracto de equiseto, es muy poco probable que llegue a tener problemas con los parásitos.

Evitar errores de mantenimiento

Las plantas débiles suelen verse atacadas por insectos chupadores, ácaros y hongos del suelo tales como *Fusarium*, así como por virus y bacterias patógenas.
Éstas son algunas de las causas más frecuentes:

- Falta de nutrientes debida a falta de abono (ver página 55).
- Falta de luz durante la fase vegetativa, lo cual produce tallos débiles, delgados y de color claro debido a la falta de clorofila.
- Temperatura demasiado elevada durante la fase de reposo, lo cual hace que los tejidos sean más blandos y sensibles a los parásitos.
- Agua estancada en el sustrato. La falta de ventilación hace que las raíces se pudran por la acción de hongos y bacterias.

Cuadros sintomáticos de las parasitosis

Hay muchos síntomas que resultan muy similares a pesar de tener un origen distinto, por lo que no siempre acertamos a la primera. Las tablas de las páginas 63-65 muestran en qué hay que fijarse para poder acertar el diagnóstico y aplicar el tratamiento adecuado.

¿Infestación por ácaros o quemaduras producidas por el sol?

A veces sucede que la capa más externa de la epidermis de la planta adquiere primero un color gris plateado, luego se vuelve marrón y finalmente se suberiza o lignifica. Esto puede deberse a varias causas:

- Si esta afección empieza entre las aristas de la parte inferior de la planta y avanza hacia arriba puede estar causada por ácaros, que generalmente no se ven, o por estadios juveniles de thrips (insectos parásitos).
- Si el daño se observa en la parte superior de la suculenta suele estar producido por unos ácaros que se pueden observar con una lupa.
- Las manchas redondas alrededor de las aréolas de espinas de las opuntias indican la presencia de ácaros de piel blanda.
- Si la parte afectada está claramente orientada al sol, es posible que se trate de una insolación. Si está producida por una fuente de calor artificial será una quemadura.
- Si se observa un inicio de suberización en la base puede estar causada por hongos *Sclerotium.*

Interrupción del crecimiento

La planta deja de crecer y manifiesta alteraciones en las raíces.

Recuerde

ASÍ SE PREVIENEN LAS INFESTACIONES

- ✔ Coloque a la planta en un lugar con suficiente luz.
- ✔ Evite que al regar las plantas quede agua estancada, ya que ésta causaría podredumbre de raíces. Riegue a los intervalos adecuados.
- ✔ A las especies que necesiten un reposo invernal, guárdelas en un lugar fresco durante el invierno.
- ✔ Refuerce periódicamente sus defensas con productos como el extracto de equiseto.
- ✔ Cuando abone a sus plantas, siga al pie de la letra las instrucciones del producto.

■ Si las raíces tienen las puntas rojas y no pueden penetrar el sustrato es señal de que no toleran los ácidos húmicos del suelo (ver página 38).
■ Si se deshacen las fibras de las raíces y la zona de transición a los tejidos sanos adquiere un color rojo brillante se debe a la acción de los hongos *Fusarium.*
■ A veces se aprecian pequeños insectos que se mueven por la superficie de la tierra de la maceta. Se trata de pequeños mosquitos negros de 2-4 mm, cuyas larvas viven en la tierra húmeda, miden 2-4 mm y son de color blanco con la cabeza negra. Se comen principalmente las puntas de las raíces de las plantitas jóvenes y necesitan una tierra muy húmeda y rica en humus.
■ Las raíces engrosadas y tuberosas indican la presencia de nematodos de las raíces.
■ Si sucede en plantas jóvenes con las raíces sanas puede deberse a una infestación por ácaros.
■ Si los brotes de *Adenium* y otras suculentas no llegan a crecer a pesar de que las raíces están intactas y no se aprecia ninguna falta de nutrientes, es señal de que hay *thrips* chupando de ellos.

En la naturaleza, este saguaro crece aprovechando el abrigo que le proporciona un palo verde.

Aquí hay algo podrido

En ocasiones se observan partes de la planta que están blandas y descoloridas.
■ Las zonas vidriosas y con indicios de descomposición pueden corresponder a daños causados por el frío.
■ Las manchas marrones que empiezan por la base y destruyen toda la planta en cuestión de días pueden estar causadas por hongos de los géneros *Phytium* o *Phytophtora.*
■ Las manchas oscuras, hundidas y cubiertas de moho que aparecen en las hojas y que raramente se extienden por toda la planta están causadas por *Botrytis* (moho gris). Suele aparecer cuando la humedad relativa del aire es demasiado alta y desaparece si se coloca a la planta en un lugar seco y bien ventilado.

Al aire libre

En el jardín pueden surgir algunas complicaciones más que dentro de casa:
■ Para evitar la acción de los caracoles se puede colocar una valla anticaracoles o emplear productos a base de fosfato de hierro.
■ Los daños causados por los insectos nocturnos se evitan colocando alrededor de la planta patatas cortadas por la mitad para atraerlos.
■ Las manchas de color negrúzco mate sobre las que crece un terciopelo negro se deben generalmente a la acción de hongos del género *Drechslera* (también *Helminthosporium* o *Bipolaris*). En los cactus de forma esférica la infección se inicia oblicuamente por la parte superior, mientras que en las opuntias aparece en forma de manchas redondeadas.

Reparar los daños

Generalmente se pueden eliminar los parásitos y curar las enfermedades aplicando remedios poco agresivos. Muchas veces basta con recolectar los parásitos o cortar las partes dañadas de la planta. También se puede recurrir a la guerra biológica empleando insectos útiles que venden en el comercio especializado. Algunos cuidados erróneos pueden subsanarse mediante productos a base de aminoácidos, mientras que algunas sustancias oleosas resultan muy eficaces contra los insectos. Muy pocas veces resulta necesario recurrir a fármacos específicos. Pero también hay enfermedades, como las causadas por virus, contra las que no hay nada que hacer. Si se manifiestan en forma de manchas por diversas partes de la planta, los tejidos mueren inevitablemente y la planta sucumbe. En estos casos hay que tirar la planta a la basura y no colocarla en la compostadora para evitar la propagación de la enfermedad.

Tabla de diagnósticos: Errores de mantenimiento

FALTA DE LUZ

Síntomas: La falta de luz limita la fotosíntesis haciendo que la planta se desarrolle débil (aquí se aprecia en la base); también se producen tallos delgados y de color claro y la planta se hace más sensible a los parásitos y enfermedades.
Prevención: Colocar la planta en un lugar con mejor iluminación.
Remedios: Administrar aminoácidos, extractos de algas o revitalizantes; trasladar a un lugar con más luz.

INSOLACIÓN

Síntomas: La epidermis verde adquiere una coloración más clara y luego se lignifica; las partes más dañadas son las más expuestas al sol.
Prevención: El vidrio impide el paso de los rayos UV, mantenga la ventana cerrada; en el exterior, coloque la planta a la sombra.
Remedios: En las fases iniciales se pueden limitar los daños mediante aminoácidos; los casos avanzados no tienen curación.

FALTA DE NUTRIENTES

Síntomas: La planta se decolora, especialmente por la base, ya que allí es donde se movilizan más nutrientes para los procesos vitales; a continuación se lignifica; putrefacción a causa de infecciones y propensión a los ataques por parásitos.
Prevención: Abonar lo necesario.
Remedios: Administrar aminoácidos, extractos de algas y revitalizantes; abonar periódicamente.

EXCESO DE HUMEDAD

Síntomas: Las raíces se pudren al bajar la temperatura; con temperaturas elevadas y mucha luz se producen tejidos débiles, crecimiento dilatado y propensión a la putrefacción.
Prevención: Temperatura adecuada; regar a los intervalos apropiados.
Remedios: No volver a regar hasta que las raíces se hayan secado por completo.

DAÑOS POR EL FRÍO

Síntomas: Zonas de la planta de aspecto vidrioso y con putrefacción; desarrollo notablemente lento en primavera; putrefacción de raíces; manchas en las hojas causadas por gotas de agua muy fría.
Prevención: Respetar las temperaturas mínimas, proteger de las heladas.
Remedios: Los daños son irreversibles; cortar y eliminar las partes afectadas.

FALTA DE FLORACIÓN

Síntomas: La planta no florece después de su período de reposo invernal.
Prevención: *Mammillaria* y *Rebutia* deben pasar su período de reposo invernal a una temperatura moderada.
Remedios: No hay; evitar que se produzca cuidando el período de reposo y no regar antes de hora; muchas veces también se debe a la falta de nutrientes y luz durante la temporada anterior.

Tabla de diagnósticos: Parásitos y enfermedades

COCHINILLA COMA O SERPETA

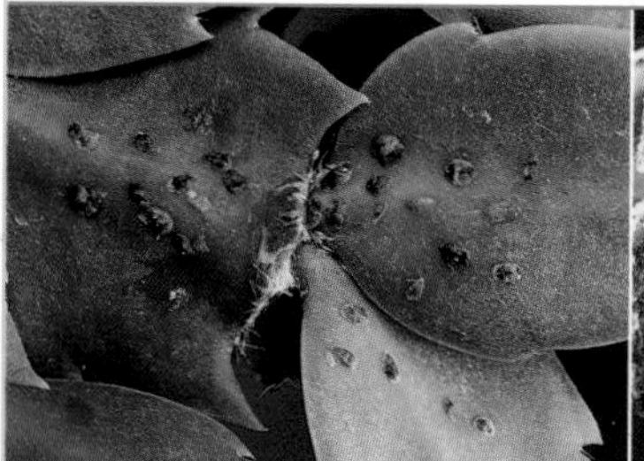

Síntomas: Costras ovaladas o alargadas, de 1-3 mm, de color marrón en tallos y hojas y bajo las cuales se encuentran unas diminutas cochinillas o sus puestas con hasta 200 huevos; segregan una sustancia pegajosa.
Prevención: Hibernar la planta en un lugar fresco.
Remedios: Pulverizar tres veces a la semana con una emulsión de parafina o aceite mineral; si es posible, eliminar las cochinillas con un paño.

ÁCAROS

Síntomas: Primero se aprecia una coloración gris plateada en la epidermis de la planta; luego se suberiza o lignifica adquiriendo un color marrón; las arañas succionan en la parte superior de la planta, otros ácaros lo hacen en las aristas; las manchas claras de las opuntias también están causadas por ácaros.
Prevención: Abonar correctamente.
Remedios: Pulverizar con aceite de parafina, aceite mineral o similar.

THRIPS

Síntomas: Presencia de insectos de 1-2 mm con el cuerpo alargado y de color amarillento a marrón; hojas deformadas; daños en la base y yemas florales que no llegan a abrirse.
Prevención: Separar de las otras plantas para que las pupas no pasen de unas a otras; limpiar las zonas afectadas.
Remedios: pulverizar infusiones de hierbas con aceites o agua con jabón de potasio.

TRICHOSIA

Síntomas: Pequeños dípteros negros de 2-4 mm que se mueven por el sustrato; las larvas miden 6-7 mm, son blancas con la cabeza negra y viven en la tierra húmeda.
Prevención: Cubrir el sustrato con bolitas de arcilla.
Remedio: Dejar que el sustrato se seque periódicamente; introducir nematodos predadores (*Steinernema feltiae*) con el agua del riego.

COCHINILLA ALGODONOSA

Síntomas: insectos blancos de 3-6 mm con forma de cochinillas; suelen estar ocultos; chupan las células; se observan sus secreciones blancas algodonosas.
Prevención: Abonar; añadir insectos (mariquita austral) que depreden el parásito.
Remedios: pulverizar un preparado oleoso 3 veces a intervalos de 1 semana; eliminarlos con un palito con algodón empapado en alcohol.

PULGONES DE LAS RAÍCES

Síntomas: Presencia de insectos de 3-6mm que producen una secreción cérea y pulverulenta de color gris blanquecino; succionan las raíces, lo cual perjudica el crecimiento de la planta; favorecen la infección por Fusarium.
Prevención: Nutrición abundante mediante abono adecuado.
Tratamiento: Con granulado o comprimidos a base de imidacloprid; el efecto dura 8 semanas.

DRECHSLERA

Síntomas: Manchas oscuras mate con un moho negro; en los cactus esféricos empieza por un lado de la parte superior; en las opuntias aparecen manchas negras; es más frecuente en las plantas al aire libre.
Prevención: Preparado de extracto de equiseto.
Prevención: Eliminar inmediatamente las plantas afectadas. Se pueden probar los productos contra las enfermedades que manchan las hojas.

FUSARIUM

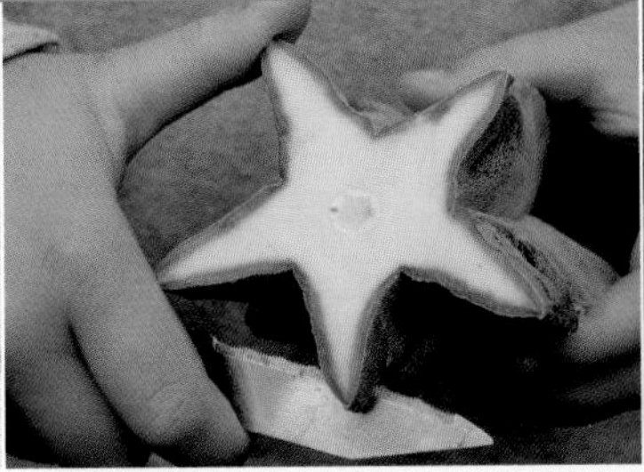

Síntomas: El crecimiento se interrumpe por la falta de agua y nutrientes, la infección por hongos del suelo se propaga por las raíces; raíces rojizas y en mal estado.
Prevención: Emplear sustrato sin gérmenes; combatir los pulgones de las raíces.
Remedios: No hay; la única forma de salvar a la planta es tomando esquejes de sus partes sanas.

OÍDIO

Síntomas: Cobertura blanca y harinosa sobre las hojas y en el extremo superior de euforbias y palmas de Madagascar; también en yemas y flores; formación de manchas.
Prevención: Colocar la planta en un lugar con buena ventilación y administrar preparado de equiseto.
Remedios: Productos a base de azufre, lecitina o fenarimol; el azufre también va bien contra los ácaros.

PHYTIUM

Síntomas: Pobredumbre o infección que produce manchas marrones en la base de la planta; la infección se inicia en la base del tallo y en pocos días se extiende por toda la planta; olor a patatas podridas.
Prevención: Preparado de equiseto y lugar bien ventilado; evitar el contagio por el agua del riego y salpicaduras.
Remedios: Fármacos específicos con fosetil; desinfectar las zonas afectadas.

MAL DE ESCLEROCIO

Síntomas: Pobredumbre o infección que se inicia por la base; suberización epitelial de color marrón claro; bolitas de 1 mm sobre la tierra con aspecto de bolitas de algodón; ataca principalmente a *Lophophora*, *Echinopsis*, *Pelecyphora*, *Agave* y *Aloe*.
Prevención: Sustrato libre de gérmenes.
Remedios: Tratamiento con productos a base de *iprodion* y fármacos contra el moho gris.

INFECCIÓN VÍRICA

Síntomas: Alteraciones del crecimiento, malformaciones de las raíces y propensión a las enfermedades; zonas decoloradas cuyos tejidos mueren progresivamente.
Prevención: Combatir a los vectores tales como thrips y ácaros.
Remedios: Es incurable; tirar a la basura los tallos afectados o toda la planta, pero no emplearla para hacer compost.

› PREGUNTAS Y RESPUESTAS

Sugerencias de un experto para el mantenimiento

Sucede una y otra vez que los errores en el mantenimiento de las suculentas no hacen más que complicarnos la vida. Unas veces se deben a no saber cuándo hay que regar y abonar las plantas, otras nos preguntamos por qué no florecen. Pero lo más grave es cuando aparecen parásitos y enfermedades.

? Hemos podado nuestro cactus *Pachycereus pringlei* y ahora le crece un solo brote. ¿Qué es lo que hemos hecho mal?
Nada. Al podar una suculenta no siempre se consigue que ésta se ramifique. En algunas especies, como por ejemplo la euforbiácea *Euphorbia trigona*, suelen surgir varios brotes a partir del plano de corte, pero en otras suculentas, como es el caso de *Pachycereus*, generalmente sólo aparece un nuevo brote.

? ¿Es malo pulverizar agua sobre las suculentas?
Al contrario. Para muchas suculentas, las gotitas del rocío son una de las principales fuentes de agua de que disponen en sus lugares de origen. Pulverizarles agua es muy similar a la condensación de primeras horas de la mañana. Es especialmente aconsejable pulverizar a primera hora de la mañana durante los meses de verano, cuando las temperaturas son más elevadas. Por la noche, o cuando hace frío, es mejor no hacerlo. Si le es posible, emplee agua de lluvia, ya que el agua del grifo acostumbra a ser demasiado dura y forma manchas blancas sobre las plantas. Infórmese acerca de la dureza del agua en su zona.

? He oído decir que los abonos nitrogenados debilitan a las suculentas y dificultan su floración. ¿Es verdad?
Eso es falso. Se ha comprobado científicamente que los abonos nitrogenados contribuyen a aumentar la floración de las suculentas, ya que el nitrógeno estimula la síntesis de las proteínas y por lo tanto el crecimiento. Y las plantas más vitales son también las que producen más flores. Solamente se obtendrán efectos negativos en el desarrollo y en la floración si se abusa mucho de estos abonos.

? ¿Es posible estimular la floración abonando selectivamente con fósforo?
Cada nutriente desempeña una función para la planta. El fósforo actúa como transporte de energía en el metabolismo y es un elemento imprescindible para los órganos reproductores. Por lo tanto, interviene directamente en la floración. Sin embargo, no es nada aconsejable abonar sólo con fósforo, ya que los demás nutrientes también son muy importantes para el desarrollo de la planta. Sus suculentas solamente crecerán bien si les proporciona una mezcla de nutrientes bien equilibrada. Emplee siempre un fertilizante especial para cactus, ya que así tendrá la certeza de que está formulado de acuerdo con las necesidades de la suculentas.

? Cuando compré mis cactus tenían flores. Ahora ya han pasado dos años y no han vuelto a florecer. ¿A qué puede deberse?

Existen varias posibilidades. Muchas veces los cactus no florecen porque no han tenido su período de reposo invernal. Se los ha mantenido durante todo el invierno en un lugar demasiado caliente y luego no florecen. Eso es lo que suele suceder con los del género *Rebutia*. Pero también puede ser que usted los haya abonado demasiado poco y les falten la energía y los nutrientes necesarios para florecer. Otra causa posible es la falta de luz (especialmente en los países con inviernos largos y oscuros), ya que sin luz los cactus no pueden absorber nutrientes ni activar las reservas energéticas necesarias para florecer.

? Mis cactus epífitos tienen un aspecto desolador y se secan a partir de las puntas. ¿Qué es lo que estoy haciendo mal?
Los cactus colgantes como *Rhipsalis* pasan el invierno sin período de reposo y necesitan agua constantemente. Si están demasiado secos y en un lugar demasiado frío, al llegar la primavera no estarán en buenas condiciones, se debilitarán y puede suceder que algunos tallos se sequen. Y esas plantas débiles son una presa fácil para los ácaros, que succionan sus extremos y son los responsables de que se sequen. Pero el problema se puede solucionar satisfactoriamente pulverizando productos con aceites naturales.

? Mientras estábamos de vacaciones, nuestro vecino quiso hacernos un favor y regó los cactus en exceso. ¿Podremos salvarlos?
Fíjese bien en las raíces. Si son de color marrón y tienen el aspecto de estar podridas deberá eliminar todo lo que esté en mal estado. Desinfecte una cuchilla con alcohol y corte las raíces hasta llegar al tejido sano. También deberá eliminar de este modo las partes del tallo que hayan adquirido una coloración anormal. Finalmente, antes de plantarla de nuevo, deje la planta tumbada durante dos semanas para que puedan sanar las heridas. Cuando los cortes se hayan secado ya podrá plantarla en el nuevo sustrato.

? ¿Cómo es posible que mi cactus cada vez presente más síntomas de deshidratación si lo riego regularmente?
Muchas veces extremamos las precauciones a la hora de regar a las suculentas porque creemos que no necesitan mucha agua. Las regamos, pero con tanta moderación que el sustrato no llega a humedecerse por completo. Por eso, en vez de regarlas poco pero con frecuencia, es mejor regarlas a fondo cada una o dos semanas. De lo contrario el agua no llega a donde realmente debe llegar: a las raíces.
Pero la causa de la deshidratación de la planta también puede ser otra. Es posible que sus raíces estén dañadas por la acción de los parásitos, por una enfermedad o por un mantenimiento inadecuado y que no puedan absorber el agua. En este caso habrá que cortarlas hasta llegar al tejido sano, determinar el origen del problema y solucionarlo. Pero recuerde que no deberá volver a plantar la planta hasta que se hayan secado bien todos los cortes. De lo contrario éstos volverían a infectarse con hongos y gérmenes patógenos.

? Cuando las flores de las suculentas se secan, ¿hay que esperar a que se caigan por sí solas?
Los restos secos pueden ser atacados por hongos como *Botrytis* y convertirse en una vía de entrada hacia el resto de la planta. Por lo tanto, es mejor eliminar cuidadosamente las flores secas y otros restos. Pero hágalo con mucha precaución. Solamente hay que arrancar las flores si éstas se desprenden con facilidad. Si las arranca con fuerza puede causar desgarros y dañar el tallo.

Cómo reproducirlas con éxito

Las suculentas se pueden multiplicar con la misma facilidad que otras muchas plantas: por semillas o por estolones o esquejes. Nunca dejará de sorprendernos cómo a partir de una diminuta semilla o de una única hoja puede llegar a desarrollarse una nueva planta.

Al observar esas diminutas y redondeadas semillas de color rojo brillante que caen a tierra y empiezan a arraigar al cabo de pocos días cuesta creer que puedan llegar a convertirse en verdaderos cactus. Pero al cabo de pocas semanas la plantita ya será de color verde y aparecerán las primeras espinas como prueba irrefutable de lo que va a suceder. El tallo surgirá entre el primer par de hojitas e iniciará su crecimiento ascendente.

Por partida doble

Muchas suculentas pueden injertarse si se dispone de un patrón robusto. Pero para hacerlo hace falta tener un poco de habilidad, ya que no se trata solamente de efectuar los cortes con precisión, sino que también hay que impedir la transmisión de gérmenes. Al igual que en cualquier otra operación, la higiene es fundamental. Por eso hay motivos para sentirse orgullosos al ver que al cabo de una semana los pequeños pacientes crecen juntos con toda normalidad.

Multiplicación por fragmentos

Nunca dejará de sorprendernos que a partir de una única hoja sea posible regenerar toda una planta. ¿Cómo sabe que ha de producir raíces y más hojas? ¿Y de dónde obtiene la energía y la vitalidad para crear una nueva planta?

La naturaleza nos lo muestra: en los años de sequía, los cactus del género *Cylindropuntia* se desprenden de algunos de sus últimos brotes. Gracias a sus reservas de agua, éstos sobreviven durante meses sobre el árido suelo mientras en su interior empiezan a desarrollarse unas raíces a la espera de que un fuerte aguacero moje bien el terreno. Cuando esto suceda, las primeras raicillas apenas tardarán unas horas en penetrar en el sustrato y empezar a ramificarse para poder absorber su preciada humedad. Así estos pequeños brotes llegarán a dar lugar a nuevas plantas.

Si se las siembra y cuida correctamente, la multiplicación de las suculentas es un juego de niños.

PRÁCTICA

Reproducción por siembra

Observar el desarrollo de las plantas a partir de sus diminutas semillas es algo que siempre resulta fascinante. Se pueden sembrar algunas suculentas incluso disponiendo de muy poco espacio.

TODO LISTO PARA LA SIEMBRA

E	F	M	A	M	J	J	A	S	O	N	D

Tiempo necesario:
- De 10 minutos a 1 hora

Material necesario:
- Tierra de siembra y semillas
- Arena de cuarzo (2-3 mm)

Herramientas y accesorios:
- Cubeta, maceta, semillero o invernadero
- Tabla de madera, varilla para separar
- Pulverizador de agua
- Etiquetas, rotulador indeleble

Las particulares características de los cactus y demás suculentas hacen que mucha gente crea que son plantas difíciles de cultivar. Pero es mucho más sencillo de lo que parece.

Semillas de cosecha propia

La forma más sencilla de obtener descendencia de las suculentas es sembrando las semillas de nuestras propias plantas. Dado que las plantas de interior es difícil que lleguen a ser polinizadas por los insectos, tendremos que echarles una mano. Basta con que dos plantas de una misma especie florezcan a la vez. Con un pincel muy fino, se polinizan las flores de una planta con el polen de las de la otra. Cuando el polen está maduro adquiere una consistencia pulverulenta y se adhiere fácilmente al pincel. Los frutos suelen madurar al cabo de pocas semanas, pero en algunas especies pueden tardar hasta un año. Cuando los frutos se desprendan con facilidad de la planta habrá llegado el momento de recolectarlos. A continuación se separan las semillas del fruto, se lavan bajo el grifo para eliminar trocitos de pulpa y se dejan secar.

Adquisición de semillas

En los centros de jardinería pueden adquirirse semillas de buena calidad. Pero también se pueden conseguir en asociaciones de aficionados a los cactus, bolsas de intercambio o a través de Internet. Lo importante es la calidad: las semillas bien limpiadas no deberán llevar restos del fruto, ya que éstos podrían ser portadores de gérmenes patógenos. Para mayor seguridad se pueden desinfectar las semillas antes de la siembra. Lo más sencillo es hacerlo con agua caliente. Coloque las semillas en una bolsita de té o en una bolsita de tela y cuélguela en un termo con agua a 50 ºC durante 45 minutos. Luego séquelas sobre papel absorbente a temperatura ambiental y a continuación siémbrelas.

El proceso de la siembra

Las semillas necesitan ciertas condiciones para llegar a germinar. Lo más importante es que dispongan de suficiente humedad, que no estén a pleno sol y que la temperatura sea de 16-28 ºC. Dentro de ese intervalo, las oscilaciones de temperatura son incluso beneficiosas. Las semillas tardan entre 3 días y 3-4 semanas en germinar. Y algunas pocas especies tardan todavía más. Lo mejor es sembrarlas a principios de primavera ya que así dispondrán de tiempo para desarrollarse hasta el otoño. A finales de octubre las plantitas ya serán lo suficientemente grandes como para tolerar una breve fase de reposo. Cuanto menos dure la fase vegetativa, más pequeñas serán las plantas cuando llegue el invierno.

Sustrato

El sustrato de siembra no deberá secarse con rapidez, ya que las semillas necesitan una humedad uniforme para poder germinar. Lo ideal es emplear una mezcla exclusivamente mineral (ver páginas 38/39), ya que es la que mejor cumple las siguientes condiciones.

- Para las semillas pequeñas hay que emplear un sustrato cuyo grano sea lo suficientemente fino como para que éstas se queden encima y no se hundan en él.
- La superficie del semillero no ha de alterarse al regar. El agua ha de absorberse inmediatamente.
- Es importante que el sustrato posea una estructura estable, ya que las plantitas son de crecimiento lento y pueden permanecer hasta un año en el semillero.
- El sustrato ha de ser muy poroso para que las raíces tengan una buena ventilación.

Recipientes adecuados

Para la siembra se pueden emplear semilleros en los que se colocan pequeñas macetas para cada especie. Esto tiene la ventaja de que así se puede cuidar a cada suculenta según sus necesidades particulares. Si

1

Distribuir las semillas
Antes de sembrar, alise la superficie con una tabla y añádale suficiente agua. Esparza las semillas uniformemente sobre la superficie.

2

Presionar las semillas
Apriete ligeramente las semillas con la madera. Esto es importante, ya que así podrán absorber mejor la humedad del suelo.

3

Regar bien
Para poder germinar, las semillas necesitan una humedad uniforme. Pulverícelas desde el principio con una solución de equiseto para fortalecerlas.

4

Cubrir con arena de cuarzo
Una capa de arena de cuarzo de 2-3 m de espesor ayuda a disminuir la evaporación y permite que se mantenga la humedad uniforme necesaria para germinar.

5

Tapar
Finalmente se coloca la cubierta del semillero o se cubre con un tejido apropiado para crear un microclima húmedo que favorezca la germinación.

se emplean macetas cuadradas un poco más grandes (de 4 cm de lado) se pueden colocar de 10 a 20 semillas en cada una. Si la siembra se efectúa directamente en cubetas de plástico, hay que dividirlas en distintas zonas para separar las especies y marcarlas con etiquetas para luego saber cuál es cada una.

Cuando a las plantitas les aparecen sus primeras espinas, ha llegado el momento de empezar a abonar.

¿Germinar con luz o sin ella?

Para que las semillas de las suculentas lleguen a hidratarse es necesario que tengan un buen contacto con el sustrato. Lo mejor es pulverizarles agua después de la siembra. A las semillas grandes es necesario apretarlas en la tierra hasta que queden cubiertas por ésta en 2/3. Emplee un rotulador indeleble para anotar en las etiquetas los nombres de las especies, fecha de siembra y origen de la simiente. Para acabar, cubra las semillas con una fina capa de arena de cuarzo. Lo ideal es que tenga un grano de 2-3 mm. Así se protege a las semillas de la deshidratación a la vez que se permite que llegue algo de claridad a las que necesitan luz para germinar. La arena de cuarzo también impide la aparición de musgos y algas, a la vez que permite que la base del tallo se seque bien después de regar.

Así se efectúa la siembra

Una vez haya sembrado las semillas en la tierra del semillero siguiendo los pasos descritos en la página 71, éstas necesitarán una humedad uniforme para poder llegar a germinar, de lo contrario se morirán. Cubra el fondo de la cubeta o semillero con una esterilla hidratante, que es la base ideal para lograr una humedad uniforme. La esterilla absorberá mucha agua al regarla y ésta penetrará luego en las macetas por capilaridad a partir de su orificio de drenaje, distribuyéndose así por todo el sustrato. Para fortalecer a las plantitas desde el primer momento es aconsejable emplear una solución de extracto de equiseto. Este concentrado líquido se puede adquirir en los comercios especializados y tiene que dosificarse siguiendo las instrucciones del envase para preparar la solución. Si las semillas ya la absorben al hidratarse, luego las plantitas estarán biológicamente preparadas para hacer frente a posibles enfermedades. El extracto de equiseto posee la propiedad de inhibir a los hongos patógenos (ver página 65) a la vez que refuerza las defensas propias de la planta. También se puede colocar el producto en un pulverizador para regar las plantitas.
Al cubrir el semillero con una tapa transparente o con una lámina de plástico se reduce la evaporación y se evita que la tierra llegue a secarse. Los semilleros con cubierta incorporada son bastante baratos y se pueden adquirir en cualquier tienda de jardinería. Pero asegúrese de que al cerrarlo queden algunas rendijas de ventilación. Al circular el aire se evita que puedan germinar las esporas de los hongos. Lo mejor es cerrar la cubierta de este pequeño invernadero hasta que quede una rendija en la que se pueda colocar una cerilla de madera. También se puede emplear una malla transpirable.

Fortalecer las plantas

Al cabo de 6-10 semanas ya se puede apreciar la verdadera forma de las plantas. Ahora hay que retirar la cubierta del semillero durante un par de horas al día y se empieza a abonar con la mitad de la concentración normal.
También se puede dejar que la tierra llegue a secarse de vez en cuando antes de volver a regar. Se puede dejar que las plantas disfruten ya del sol de la mañana o del de la tarde, pero aún no hay que exponerlas al de mediodía. Pulverice extracto de equiseto cada 4-6 semanas. Tres meses después de iniciarse la germinación hay que retirar la

1 Llenar de tierra y humedecer
Llene el nuevo recipiente con tierra de siembra, apriételа ligeramente con una tabla de madera y pulverice agua sobre ella para que al hacer los hoyos para las plantas éstos no vuelvan a cerrarse.

2 Preparar los hoyos para las plantas
Emplee una varilla de plástico o de madera para hacer unos pequeños hoyos separados entre sí por el ancho de un dedo. La profundidad y el diámetro dependerán del tamaño de las raíces. Emplee la varilla para colocar bien las raíces dentro del hoyo.

3 Apisonar alrededor
Asegúrese de que la plantita quede hundida en el sustrato hasta la misma altura a la que estaba en el semillero. Apriete la tierra a su alrededor con la varilla para darle soporte a la planta y conseguir que arraigue con facilidad.

cubierta por completo y dejar que la tierra se seque durante 2-5 días después de cada riego. A los 4-5 meses después de la siembra ya no hace falta darles sombra.

En caso de infecciones por hongos

Las plantitas jóvenes no tienen muchas defensas y son sensibles a las enfermedades. En un ambiente mal ventilado no tardarán en aparecer hongos. Si algunas plantas pierden su color verde natural, se ponen marrones y empiezan a estropearse, e incluso contagian a otras, hay que intervenir inmediatamente contra un hongo que no tardaría en cubrir todo el sustrato con una trama blanca. Hay que sacar las plantitas con una cuchara o retirar las macetas de la cubeta del semillero. Para desinfectarlas se las puede espolvorear con carbón vegetal en polvo. También se pueden reducir los daños empleando antimicóticos a base de fosetil.

Separar las plantitas

Cuanto mayor sea la nueva planta menos arriesgado será trasplantarla a una maceta más amplia, ya que sus raíces y sus tallos se habrán ido fortaleciendo con el tiempo y en el semillero acabarían por molestarse unas plantas a otras. La mayoría de los cactus hay que separarlos al cabo de un año. Entonces se los coloca en otras cubetas pero separados por una mayor distancia. Como sustrato se emplea sustrato de siembra mineral o la mezcla estándar a base de tierra mineral y humus, procediéndose como se indica en las ilustraciones. Si las plantas todavía son demasiado pequeñas como para cogerlas con los dedos se las puede levantar empleando la punta de una etiqueta para plantas ligeramente curvada.

Acortar las raíces

Si las raíces de la planta son demasiado largas para el hoyo que se les ha preparado, se les pueden cortar unos 3 cm mediante una cuchilla afilada. A continuación hay que dejar que la plantita se seque durante una semana antes de plantarla, de lo contrario el riesgo de putrefacción sería muy elevado. Una semana después de plantarlas ya se las puede regar, pero para abonarlas habrá que esperar todavía 2 meses más.

› PRÁCTICA

Reproducción vegetativa: de uno salen dos

Para aumentar rápida y fácilmente la colección de cactus y otras suculentas resulta muy práctico aprovechar su capacidad de reproducirse a partir de hojas, tallos y estolones.

Mediante la reproducción vegetativa asexual, las plantas se ahorran el largo recorrido desde la semilla hasta la planta adulta. Y entonces la descendencia tendrá los mismos genes que la planta madre.

El ejemplo de la naturaleza

En la naturaleza, en épocas de escasez algunas suculentas se desprenden de algunas partes que son capaces de generar raíces en cuanto entran en contacto con el suelo. Esta facultad podemos aprovecharla para conservar y reproducir determinados caracteres, como por ejemplo flores de un color muy atractivo.
Muchas veces, la multiplicación vegetativa es la única forma de conservar la planta. Sea porque se ha roto, porque está enferma y sólo se pueden salvar algunos brotes (ver páginas 60-62), o incluso porque no se dispone de semillas. De esta forma también se pueden rejuvenecer ejemplares viejos y que ya han perdido su forma.

Cortar esquejes

Se pueden emplear como esquejes las siguientes partes de la planta:

1
Cortar un esqueje
Sujete la planta por la parte superior con una hoja de papel de periódico enrollada y corte limpiamente el esqueje tirando de una cuchilla lisa y bien afilada.

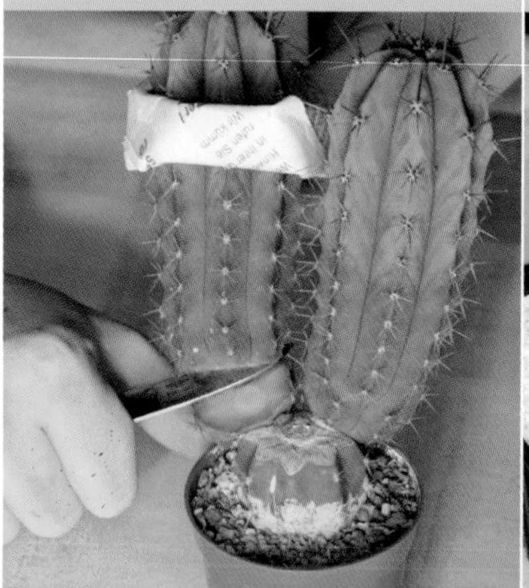

2
Secar el plano de corte
Coloque el esqueje sobre una capa de perlita o sobre un periódico arrugado y déjelo durante algunas semanas en un lugar bien iluminado para que se seque y empiece a producir raíces.

3
Plantar el esqueje
En cuanto empiecen a asomar las puntas de las primeras raíces se puede plantar el esqueje a 1-2 cm de profundidad. No lo hunda demasiado en el sustrato para que las raíces dispongan de suficiente espacio para crecer.

- el extremo superior del tallo (por ejemplo en los cactus columnares) para obtener **esquejes apicales**
- el tramo situado por debajo del extremo apical (por ejemplo en *Senecio crasissimus*) para obtener **esquejes de tallo**
- las hojas de algunas suculentas para obtener **esquejes de hojas.**

No todas las hojas son iguales

En los cactus de los géneros *Epiphyllum* y *Disocactus*, lo que cortamos no son hojas sino brotes con forma de hoja: esquejes apicales o de tallo de 200 cm de longitud. En *Schlumbergera* y *Haitora* se toman brotes grandes y maduros que se arrancan girándolos.
Sin embargo en las plantas crasas tales como *Kalanchoe*, *Crassula* y *Gasteria* sí que se emplean realmente hojas para hacer esquejes. En *Pachyphytum* y *Sedum* se las arranca girándolas con cuidado. Hay que dejar que se sequen durante 2-3 días antes de plantarlas en tierra húmeda.

¿Qué hay que tener en cuenta?

La mejor época para cortar esquejes es durante la primavera y el verano. Los tallos no deberán ser viejos y leñosos, pero tampoco demasiado jóvenes y tiernos. Efectúe el corte con un cuchillo afilado y desplazándolo hacia usted de modo que no se aplasten las células.
En los cactus columnares y en las euforbias, los esquejes deberán tener por lo menos una longitud equivalente a tres veces su diámetro, en las formas redondeadas no serán menores que el diámetro.
La epidermis y la zona central se conservan al secarse, mientras que los tejidos de reserva se retraen considerablemente al deshidratarse. Si los esquejes se cortan con forma cónica, las raíces se formarán en el centro. Para evitar posibles infecciones es importante que el plano de corte se seque rápidamente. Para ello se colocan los esquejes en posición vertical sobre perlita o bolitas de arcilla, en cajas con el fondo de malla o en macetas rellenas de papel de periódico. Así la herida recibirá suficiente aire, cicatrizará pronto y al cabo de algunas semanas empezarán a aparecer raíces en la zona inferior. La posición erecta también es ideal para que sigan realizándose los procesos metabólicos. En las euforbias hay que taponar el flujo de savia lechosa (ver página 59). Los cortes húmedos hay que desinfectarlos con carbón vegetal en polvo, que también ayuda a secarlos. En los comercios de jardinería pueden adquirirse preparados a base de hormonas o aminoácidos para estimular la formación de raíces.

CORTAR Y PLANTAR ESQUEJES

E	F	M	A	M	J	J	A	S	O	N	D

Tiempo necesario:

5-10 minutos

Material necesario:

- Maceta o bandeja con perlita, bolitas de arcilla o papel de periódico
- Planta madre
- Carbón vegetal en polvo, alcohol
- Hormonas para enraizar, productos a base de aminoácidos

Herramientas, accesorios:

- Cuchillo afilado, paño de cocina

Plantas hijas

Algunas especies producen plantas hijas unidas a la planta madre y que al separarlas de ésta sólo les falta echar raíces.
Existen diversos tipos:

- propágulos (como por ejemplo en *Agave*) que crecen en la base de la planta
- tallos reptantes con nuevos brotes (como en *Sempervirum*)
- plantas hijas en el borde exterior de las hojas (*Kalanchoe*)
- producción de bulbos en las hojas (*Scilla violacea*) que se pueden cortar para plantarlos.

Cómo cortar los estolones

Los brotes laterales se denominan estolones, se separan por su punto de unión a la planta madre (o por el punto en que brotan, como en los híbridos de *Echinopsis*) y se plantan. Muchas veces los estolones aparecen en puntos por los que se había podado la planta, lo cual estimula su ramificación y la formación de nuevos brotes.

› PRÁCTICA

Mejorar el desarrollo mediante injertos

Cuando las suculentas no crecen como debieran, tienen alguna enfermedad de las raíces o simplemente no florecen, podemos colocarlas sobre un patrón que les proporcione una nueva vitalidad.

Al injertar las suculentas lo que hacemos es cortar un injerto de una planta para colocarlo sobre otra (patrón) de modo que crezcan juntas. Esto suele hacerse en aquellos casos en que una planta no es capaz de crecer sobre sus propias raíces (o le cuesta mucho hacerlo) y cuando hay que acelerar su desarrollo. Las especies sin clorofila no podrían vivir sin estar injertadas en un patrón. Entre estas últimas se incluyen las formas coloreadas tales como los «cactus fresa» *Gymnocalycium mihanovichii* cv. *rubrum*.
La planta que haga de patrón deberá pertenecer a la misma familia y será robusta y saludable. El injerto empezará a mostrar signos de vitalidad poco tiempo después de ser injertado:

- En algunas especies tienen que pasar años antes de que florezcan por primera vez, pero al injertarlas empiezan a producir yemas al cabo de poco tiempo.
- Al acelerar el desarrollo se tardará menos tiempo en conseguir semillas.
- El injerto permite salvar especies afectadas por enfermedades de las raíces.

Especies apropiadas

Se pueden realizar injertos sobre patrones que no sean suculentas si pertenecen a la misma familia. Pero asegúrese de que las plantas requieran unas condiciones similares, ya que sino sería complicado cuidarlas. Para elegir el patrón tenga en cuenta la edad, el tamaño y la consistencia del injerto.
Las siguientes combinaciones suelen dar buenos resultados:

- Los cactus jóvenes se pueden injertar bien sobre *Pereskiopsis* o *Selenicereus*, los de más edad sobre *Echinopsis, Eriocereus* y los *Echinopsis* esféricos o los ejemplares blandos sobre *Myrtillocactus geometrizans*.
- Las euforbiáceas se pueden injertar sobre diversas especies de *Euphorbia* como por ejemplo *Euphorbia canariensis*.

1 **Preparación del patrón**
En un día cálido, se corta horizontalmente la parte superior del patrón mediante un corte limpio y se biselan las aristas. La cuchilla deberá estar bien afilada y desinfectada.

2 **Cortar el injerto**
De la planta a injertar también se corta el extremo superior mediante un corte liso y limpio. Si tiene aristas, habrá que biselarlas un poco.

- *Stapellia* prospera sobre tubérculos de *Ceropegia woodii.*
- Las plantas de base ancha armonizan con *Pachypodium lamerei.*
- *Adenium obesum* se puede injertar sobre su forma silvestre o sobre una adelfa.

Técnica adecuada

La mejor época para injertar es de mediados de mayo a finales de agosto, ya que entonces es cuando las plantas están más llenas de savia. Algunos días antes de proceder hay que regarlas en abundancia. Ambas plantas se preparan en un día soleado y siguiendo el procedimiento descrito (ver ilustraciones). Al colocar una parte sobre la otra, asegúrese de que no se formen burbujas de aire y que los vasos que se aprecian como estructuras redondas en el corte al menos se cubran en parte. Al biselar oblicuamente las aristas se consigue que ambas partes crezcan bien juntas aunque se retraigan al secarse.

Esperar a ver el resultado

La planta injertada hay que colocarla en un lugar cálido y con buena luz, pero no a pleno sol. Si todo ha ido bien, al cabo de 1-2 semanas ya se podrá retirar la goma elástica. Hasta ese momento no deberá caer ni una gota de agua sobre el injerto, pero a la planta le sienta muy bien que la humedad relativa del aire sea bastante elevada y para algunas, como *Pereskiopsis*, incluso es imprescindible.

ASÍ SE INJERTAN LOS CACTUS Y AFINES

Tiempo necesario:
20-30 minutos

Materiales:
- Ejemplar de la suculenta que hará de patrón
- Ejemplar de la suculenta a injertar
- Alcohol para desinfectar

Herramientas y accesorios:
- Cuchillo con la hoja muy afilada
- Gomas elásticas para sujetar ambas partes
- Paño de cocina para secar

3

Injertar sobre el patrón
Una vez preparados el patrón y el injerto habrá que unirlos de forma que entre ellos no queden cuerpos extraños ni se puedan formar burbujas de aire. Es importante que ambas partes coincidan lo mejor posible.

4

Sujeción del injerto
Ahora el injerto tendrá que unirse al patrón para crecer con él. Para que ambos no se separen es aconsejable sujetarlos mediante una goma. Coloque la planta injertada en un lugar cálido a la sombra y procure que tenga aire húmedo.

5

Sacar la goma
Al cabo de 1-2 semanas el injerto ya deberá haberse fijado al patrón, por lo que se podrá retirar la goma elástica. Ahora ya se puede colocar la planta injertada a pleno sol y resistirá bien un aire más seco.

› PREGUNTAS Y RESPUESTAS

Sugerencias de un experto para una multiplicación con éxito

Nunca se tienen suficientes suculentas, pero tampoco es posible decir si es mejor obtenerlas a partir de semillas, estolones o por esquejes. A muchos aficionados también les interesa saber cómo se hacen los injertos y cuáles son sus ventajas.

? Mis cactus han florecido espléndidamente y ahora tienen frutos. ¿Cómo puedo saber si las semillas están maduras?
Mientras los frutos estén firmemente unidos a la planta no deberá intentar arrancarlos. Espere hasta que se desprendan por sí solos. Los frutos maduros caen, se secan o estallan. Es en ese momento cuando sus semillas ya están maduras para la siembra.

? ¿Puede preparar uno mismo la solución de equiseto?
Naturalmente. El equiseto es una planta bastante común y que se encuentra en las lindes de los riachuelos y de los campos de cultivo. Puede recolectarlos usted mismo y hervirlos secos o frescos para hacer una infusión que luego dejará reposar durante 24 horas. A continuación hay que colarla. Para su empleo es necesario diluir este extracto con agua en la proporción de 1:7.
Es más sencillo comprar el extracto ya preparado en cualquier centro de jardinería. Se diluye siguiendo las instrucciones del envase y produce el mismo efecto.

? Al sembrar semillas de opuntias me he dado cuenta de que algunas germinan antes que otras. ¿A qué se debe?
Las semillas de algunas opuntias pueden tardar bastante tiempo en germinar, especialmente de las resistentes al frío y que viven siempre en el exterior. A veces sólo germina una parte de las semillas y el resto lo hacen algunas semanas más tarde cuando vuelven a darse las condiciones apropiadas. Se trata de una estrategia natural de las plantas y que garantiza la supervivencia de su especie en la naturaleza. En el caso de que la humedad del suelo no fuese suficiente como para que las semillas germinadas pudiesen salir adelante, siempre quedarían otras semillas maduras listas para germinar más tarde cuando volviesen a darse las condiciones adecuadas.

? Tengo un ejemplar de *Euphorbia piscidermis* que florece pero no da frutos. Y en las tiendas tampoco puedo conseguir semillas. ¿Hay alguna forma de conseguir reproducirla?
Para esto sólo hay un remedio: existe un truco para obligar a *Euphorbia piscidermis* a producir brotes. Si se rompe el extremo superior del tallo, se formarán unos brotes laterales que luego se pueden emplear como esquejes. Pero éstos arraigan muy mal, por lo que será mejor injertarlos sobre un patrón más vital, como por ejemplo el cardón, *Euphorbia canariensis*.

? ¿Siempre hay que esperar tanto antes de poder plantar los esquejes, o hay algunas especies que se secan antes?
Todo depende del volumen y el grado de suculencia de la planta. En las plantas relativamente blandas, como por ejemplo *Epiphyllum*, hay que esperar una semana para que el corte se seque y se cure. Pero los

esquejes de *Trichocereus* de 30 cm de longitud y 15 cm de grosor necesitan por lo menos 6 semanas. Incluso se pueden plantar al cabo de medio año.

? Mi cactus ya no cabe en el lugar en que suelo guardarlo durante el invierno. ¿Puedo podarlo aunque sea en otoño?
Si durante el verano crecen demasiado los cactus u otras suculentas que estén en la terraza, puede suceder que luego ya no quepan en el lugar en el que suelen pasar el invierno y haya que podarlas en otoño. Se puede aprovechar la ocasión para cortar esquejes de tallos, pero habrá que guardarlos hasta marzo en un lugar seco y con luz. Entonces ya se podrán plantar y arraigarán correctamente. Asegúrese de secar bien los cortes para evitar el riesgo de infecciones.

? Mi euforbia columnar ha crecido mucho, pero la parte inferior es delgada y leñosa. ¿Qué puedo hacer?
Lo mejor será que corte un esqueje apical de la parte más bonita de la planta y la rejuvenezca. Elimine la parte delgada y la leñosa. Pero no las tire hasta que su esqueje también haya prosperado. Si no saliese bien, siempre podrá hacer otro intento con los brotes laterales de la base.

? ¿Se pueden multiplicar esquejes de variedades crestadas o moteadas?
Las variedades crestadas presentan una alteración del punto vegetativo del ápice de la planta. En la naturaleza estas mutaciones son muy raras, por lo que solamente se pueden reproducir por la vía vegetativa, es decir, por esquejes. Para ello hay que cortar la planta a trozos trapezoidales de modo que la parte crestada quede en el extremo superior. Esto no siempre sale bien, por lo que suele ser preferible realizar injertos que también pueden tener una apariencia muy agradable. Los esquejes rayados, como por ejemplo los de *Sanseveria*, suelen dar lugar a plantas normales de color verde. Si se quiere conservar el dibujo por vía vegetativa se puede intentar a base de cortar el rizoma. Pero a veces se puede conseguir cortando el esqueje de modo que luego salgan raíces en la zona en la que está el dibujo.

? ¿Es importante que el patrón sea grande, o es mejor que sea pequeño?
Al realizar un injerto, la planta suele crecer más deprisa si el patrón es grande. Pero para la fijación del injerto no tiene ninguna importancia, siempre y cuando se consiga un buen contacto entre los vasos conductores de ambas partes. Generalmente, en los ejemplares grandes suelen estar más separados que en el injerto. Pero también es una cuestión de estética. Si se desea que el patrón pase desapercibido, será mejor elegir uno corto.

? El esqueje que obtuve de una suculenta con hojas crece muy inclinado. ¿Qué puedo haber hecho mal?
Es probable que no lo plantase verticalmente en el sustrato, sino que se limitase a colocarlo sobre éste. Los esquejes siempre producen raíces en el punto de contacto con el sustrato. En las plantas crasas esto también puede suceder en la parte inferior de una hoja. Por lo tanto, es posible que la nueva planta haya generado raíces por un lugar inadecuado y que ahora crezca torcida. Al plantar esquejes de hojas también hay que cuidar de colocarlos verticalmente en el sustrato.

? Mis piedras vivas ya han florecido y he obtenido semillas de ellas. ¿Tengo que sembrarlas inmediatamente o puedo guardarlas hasta el año próximo?
Generalmente, cuanto más pequeñas son las semillas, antes se secan y más rápidamente pierden su capacidad para germinar. Sin embargo, las semillas de *Lithops* se conservan durante mucho tiempo a pesar de que son muy pequeñas. Para que conserven su facultad de germinar durante mucho tiempo hay que colocarlas en bolsas de papel y guardarlas en un lugar oscuro a temperatura ambiente. Al contrario que las bolsas de plástico, las de papel permiten la circulación del aire. Así las semillas se conservan secas y no se enmohecen. Algunos aficionados conservan sus semillas en la nevera, donde el aire frío impide eficazmente que germinen antes de hora.

¿Qué hay que hacer si...

... las suculentas crecen torcidas?

Posibles causas:

1. Las plantas están en un lugar en el que no hay suficiente luz.

› Las suculentas necesitan mucha luz para desarrollarse. Si están en un lugar poco iluminado crecerán orientándose hacia el lugar con más luz. Lo mejor es colocarlas en un sitio bien iluminado.

› Si no se puede conseguir un lugar con más luz, siempre cabe la posibilidad de girar periódicamente la maceta para que la planta corrija constantemente su inclinación y crezca correctamente.

› Riegue la planta moderadamente y en función de la luz que reciba. El exceso de agua en un lugar oscuro y cálido puede dar lugar a tallos largos, débiles y delgados.

2. La falta de nutrientes y luz hace que los tallos se doblen hacia abajo.

› Fortalezca su desarrollo colocándolas en un lugar con más luz, administrándoles un preparado a base de aminoácidos y cortando los tallos débiles. Abone la planta periódicamente.

... las plantitas son atacadas por hongos?

Posibles causas:

1. La humedad relativa del aire en el semillero es demasiado elevada.

› Asegúrese de que el semillero cuente con una buena ventilación. Coloque una cerilla de madera entre la cubeta y la cubierta para dejar una rendija por la que pueda pasar el aire.

2. Infección por hongos de los semilleros.

› Se trata de un hongo que produce unas fibras blancas que invaden todo el semillero en muy poco tiempo y contra el que generalmente no hay nada que hacer. Las plantas afectadas se rompen y se deshacen. Elimine todas las partes afectadas y retire las semillas y el sustrato con una cuchara limpia. A continuación hay que dejar que la tierra se seque y esté bien ventilada.

... el injerto no crece correctamente?

Posibles causas

1. Al preparar el esqueje y el patrón no se biseló suficientemente el canto de las aristas.

› Los cantos laterales del injerto hay que biselarlos para evitar que los tejidos que acumulan agua se retraigan alrededor del eje central y el borde se mantenga levantado. De lo contrario se formará un hueco haciendo que el injerto pierda parte de su superficie de contacto con el patrón, lo cual afectará mucho a su crecimiento.

2. El patrón rechaza al injerto.

› Probablemente las plantas no pertenezcan a la misma familia. Algunas plantas crecen especialmente bien sobre determinados patrones (ver página 77).

› Los vasos conductores de ambas plantas deben coincidir en lo posible.

... el arriate del jardín se llena de malas hierbas?

Posibles causas:

1. Las malas hierbas se propagan por todo el arriate gracias a sus estolones subterráneos.

› Las malas hierbas con estolones solamente se pueden combatir a base de arrancarlas con sus raíces. Si constantemente vuelven a aparecer, la mejor solución será cubrir todo el suelo con una malla que no puedan atravesar (ver página 43). Para poder colocarla plana es necesario desmontar todo el arriate, extenderla, hacer agujeros para las suculentas y volver a plantar.

2. Las semillas de las malas hierbas llegan de otros arriates cercanos.

› Lo único que puede hacerse para evitar la propagación de semillas por el viento es eliminarlas antes de que se desprendan de la planta. Procure que en las zonas cercanas tampoco crezcan malas hierbas.

... *Sedum* se propaga en exceso?

Causa:

Al plantar el sedo no se tuvo en cuenta que con el tiempo puede llegar a ocupar una gran superficie.

Remedios:

Si el sedo se extiende hasta el punto de hacer peligrar la existencia de las otras suculentas del arriate, se puede eliminar total o parcialmente a la planta a base de dividir el cepellón y volver a plantarlo en otro lugar adecuado. A veces basta con cortar periódicamente los vástagos reptantes o eliminar las rosetas que molesten. Así se consigue mantener a raya su crecimiento.

... el esqueje apical crece torcido?

Causa:

El esqueje apical no fue colocado verticalmente en una caja con perlita o con papel de periódico para que se secase, sino que se dejó en posición horizontal.

Remedios:

Asegúrese de que el esqueje solamente tenga contacto con el sustrato por el punto en el que ha de producir raíces. Si se deja el esqueje acostado en la caja en la que se ha de secar el corte, producirá raíces en el lado que quede hacia abajo. Por lo tanto, es muy probable que luego crezca inclinado hacia la luz. Pero si se coloca en posición vertical, producirá raíces en su extremo inferior y la planta crecerá recta y hacia arriba. Además, la posición vertical hace que el esqueje arraigue a mayor velocidad.

... el cactus se lignifica por su parte inferior?

Causas posibles:

1. Se trata de un cactus de edad avanzada.

› Forma parte de su proceso natural de envejecimiento. Con el tiempo los cactus se lignifican un poco por su parte inferior. Solamente habrá que sospechar que algo no va bien si se lignifican más tejidos en su parte inferior de los que brotan frescos y verdes por la superior.

2. La planta sufre falta de nutrientes

› La planta activa sus recursos para poder seguir creciendo y vive casi a expensas de sí misma. Hay que proporcionarle un refuerzo a base de aminoácidos y aplicar un abono concentrado sobre sus raíces húmedas.

3. Una infección de la epidermis ha dañado las células hasta hacer que finalmente se vuelvan leñosas.

› No se puede eliminar la lignificación, pero sí se puede evitar que avance. Para ello se untan las partes afectadas con un protector de plantas oleoso, aplicándolo dos veces con un intervalo de 3-4 días.

3

Especies

Aporocactus flagelliformis
Flor de látigo

El maravilloso mundo de los cactus

Lo que más nos maravilla de esta familia de plantas es su increíble variedad de formas y colores, así como el fantástico contraste entre sus recias espinas y sus delicadas flores.

Los cactus nos sorprenden con sus curiosas formas y su legendaria resistencia. De hecho hay muchas especies que son ideales para que vivan en la repisa interna de una ventana. Pero otras necesitan más atenciones, y las agradecen con una espléndida floración. Y también hay muchas que pueden vivir perfectamente en el jardín durante todo el año y resisten incluso el frío más intenso.
Da igual si usted busca una especie columnar de más de un metro de altura, una pequeña planta esférica o un ejemplar diminuto para la repisa de la ventana, seguro que encontrará algún cactus que se adapte a sus gustos. A continuación repasaremos algunos de los géneros más importantes.

Para muchos cactus, un período de reposo invernal con frío y sin riego nos garantiza un posterior florecimiento espléndido.

TAMAÑO: hasta 1,5 m, colgante.
FLORACIÓN: primavera.

Planta colgante muy decorativa

Familia: Cactaceae.
Sinónimo: *Disocactus flagelliformis.*
Origen: México (estados de Hidalgo y Oaxaca).
Flores: de color rojo violáceo; con un buen aporte de agua y nutrientes, la floración de las plantas de cierta edad es muy abundante.
Crecimiento: tallos delgados, colgantes y con muchas aristas.
Ubicación: junto a una ventana con buena luz, pero no a pleno sol; en invierno necesita un sitio fresco, pero no a menos de 15 °C.
Cuidados: regar cada 1-2 semanas, también en invierno; para conseguir una buena ramificación hay que podar los tallos demasiado largos.
Multiplicación: dejar que los esquejes se sequen durante 1-2 semanas, luego plantarlos en grupos.
Peculiaridades: se cultiva en todo el mundo desde hace unos 200-300 años.
Otras especies: Existen híbridos con *Aporophyllum*, éstos tienen flores más grandes y en todos los tonos de rojo.

Sol · Semisombra · Buena iluminación · Verano al aire libre

Ariocarpus retusus
Ariocarpo

TAMAÑO: 10-12 cm.
FLORACIÓN: primavera.

En la naturaleza está casi extinto

Familia: Cactaceae.
Origen: México (San Luis de Potosí); EE. UU. (estado de Texas).
Flores: rosa pálido a blanco con nervaduras claras.
Crecimiento: produce gruesos rizomas, crece muy lentamente.
Ubicación: junto a una ventana a la que le dé el sol; en invernadero.
Cuidados: no regar en verano, riego moderado en primavera, riego intenso en septiembre y octubre; emplear sustrato exclusivamente mineral y muy permeable.
Reproducción: por semillas.
Peculiaridades: contiene alcaloides de efectos alucinógenos similares a los del peyote (*Lophophora williamsii*), que es una especie próxima.
Otras especies: *A. agavioides, A. fissuratus, A. scaphirostris* (todos con flores de color rosa oscuro), *A. kotschoubeyanus* (flores blancas o de color rosa oscuro), *A. trigonus* (flores de color amarillo o crema).

Arrojadoa dinae
Arrojudo

TAMAÑO: 30-120 cm.
FLORACIÓN: verano.

Flores muy curiosas

Familia: Cactaceae.
Origen: Brasil (en las zonas de catinga en el estado de Bahía).
Flores: produce unas flores bicolores de aspecto céreo, amarillas por dentro y rojas por fuera.
Crecimiento: cirios delgados que se ramifican de forma arbustiva.
Ubicación: se puede mantener en el interior durante todo el año colocado ante una ventana soleada o con mucha luz.
Cuidados: los cactus brasileños del género *Arrojadoa* no toleran que la temperatura baje de los 12 °C.
Multiplicación: por semillas o esquejes.
Peculiaridades: es el único género en el que después de la floración surge un nuevo brote a partir del cefalio; en los melanocactus (ver página 95), cuando eso sucede la planta ya no crece más.
Otras especies: *A. albiflora* (con flores blancas), *A. rhodantha* (flores de color rosa violáceo).

Astrophytum myriostigma
Bonete de obispo

TAMAÑO: 15-20 cm.
FLORACIÓN: primavera-otoño.

Un cactus que no pincha

Familia: Cactaceae.
Origen: zonas calurosas y áridas del centro de México hasta las tierras altas del norte.
Flores: amarillas, de 4-6 cm, brillo sedoso.
Crecimiento: redondeado, luego alargado, las plantas muy viejas alcanzan una altura de 40 cm.
Ubicación: en verano delante de una ventana a la que le dé el sol, sólo puede estar en el exterior si está protegido de la lluvia; en invierno no ha de estar a menos de 8 °C.
Cuidados: regar muy poco en verano, mantenerlo completamente seco en invierno, regar con moderación en primavera y otoño; sustrato exclusivamente mineral sin humus.
Reproducción: por semillas.
Peculiaridades: epidermis cubierta de pequeños copos algodonosos que sólo faltan en unas pocas variedades.
Otras especies: *A. myriostigma* var. *coahuilense* (con un recubrimiento más denso y de crecimiento más lento), *A. asterias* (cactus erizo de mar), *A. capricorne, A. ornatum* (la especie de crecimiento más rápido), *A. senile*; todas tienen flores amarillas.

Hibernar con calor/dentro de casa · Hibernar con frío/especies «clásicas» · Resistente al frío y las heladas

Browningia hertlingiana
Browningia

TAMAÑO: 1-1,5 m.
FLORACIÓN: verano.

Cactus de color azul acerado

Familia: Cactaceae.
Sinónimo: *Azurocereus hertlingianus.*
Origen: Perú (Manratoral).
Flores: inclinadas, de color blanco; sólo florecen las plantas de edad avanzada.
Crecimiento: como planta de interior forma cirios muy gruesos y de crecimiento lento; en la naturaleza alcanza una altura de 8 m.
Ubicación: ventanas soleadas, pero hay que evitar que reciba demasiado calor, ya que se podría fundir la capa de cera que cubre su epidermis y ésta quedaría de color verde; puede invernar a temperatura ambiente o en un lugar fresco a más de 5 °C.
Cuidados: regar poco y espaciadamente sólo si pasa el invierno en un lugar caldeado; no hay que emplear productos para plantas que contengan aceites, ya que éstos alterarían su estructura y su color.
Reproducción: por semillas.
Peculiaridades: su color azul se debe a la refracción de la luz en las estructuras de la capa de cera que recubre su epidermis.

Cereus peruvianus
Cardón

TAMAÑO: hasta 10 m.
FLORACIÓN: verano.

Vivaz y fácil de cuidar

Familia: Cactaceae.
Sinónimo: *Cereus hildmannianus.*
Origen: a pesar de su nombre, no procede de Perú sino de Brasil, pero desde allí el hombre lo ha difundido muchísimo.
Flores: amarillentas a blancas, grandes; se abren al caer la noche.
Crecimiento: arborescente; como planta de interior apenas se ramifica.
Ubicación: ante ventanales de gran tamaño, en galerías o invernaderos.
Cuidados: si pasa el invierno en un lugar caliente hay que regarlo poco y sólo de vez en cuando; en un lugar frío no hay que regarlo nunca; si crece demasiado se puede podar de abril a junio.
Multiplicación: por semillas o esquejes.
Peculiaridades: se cree que elimina la contaminación electrostática.
Otras especies: *C. aethiops, C. jamacaru, C.(Monvillea) spegazzinii*; todos ellos tienen flores blancas y grandes; el conocido «cactus roca» es una variedad monstruosa de *C. peruvianus.*

Cleistocactus horstii

TAMAÑO: 60-100 cm.
FLORACIÓN: finales de verano.

Cactus fácil de cuidar y que florece hasta en otoño

Familia: Cactaceae.
Sinónimo: *Cleistocactus baumanii* subsp. *horstii.*
Orígen: Argentina, Bolivia, Uruguay y Paraguay.
Flores: inclinadas, de color rojo anaranjado; aparecen ya en plantas de 20-30 cm; en la naturaleza son polinizadas por los colibríes.
Crecimiento: delgado, columnar, se ramifica lejos del suelo. Grupos de espinas pequeñas con una espina central más larga.
Ubicación: ventana soleada o con muy buena luz; puede invernar en frío o en caliente.
Cuidados: si inverna en un lugar frío no hay que regar en absoulto, si inverna en un lugar caliente hay que regar con moderación.
Multiplicación: por semillas o esquejes.
Otras especies: *C. brookei* (flores de color rojo o rojo anaranjado), *C. candelilla* (flores lilas con el borde blanco), *C. ritteri* (flores amarillas), *C. smaragdiflorus* (flores bicolores muy bonitas), *C. strausii* (espinas blancas y muy densas), *C. viridiflorus* (flores verdosas).

Sol · Semisombra · Buena iluminación · Verano al aire libre

Coleocephalocereus goebelianus

TAMAÑO: hasta 100 cm.
FLORACIÓN: verano.

Cactus columnar de aspecto majestuoso

Familia: Cactaceae.
Origen: Brasil (región central del estado de Bahía); hasta 900 m de altura.
Flores: de rosa a blanco con un diámetro de aproximadamente 5 cm.
Crecimiento: columnas gruesas que se ramifican por su base; en sus lugares de origen alcanza los 2-3 m de altura.
Ubicación: crece muy bien junto a una ventana bien soleada; inverna a temperatura ambiental o en un lugar fresco a más de 12 °C.
Cuidados: si pasa el invierno en un lugar caliente hay que regarlo un poco cada 4 semanas, si está en lugar frío no hay que regar en absoluto.
Reproducción: por semillas.
Peculiaridades: no florece hasta que alcanza una cierta edad, cuando se forma el cefalium lateral.
Otras especies: *C. buxbaumianus, C. fluminensis* y *C. pluricostatus* son columnares; *C. aurens* y *C. purpureus* se incluían antiguamente en el género *Buiningia* y son de forma esférica.

Copiapoa haseltoniana

TAMAÑO: 15 cm.
FLORACIÓN: finales de verano.

Maduración muy atractiva

Familia: Cactaceae.
Origen: Chile (Antofagasta, zonas desérticas con nieblas cerca de la costa).
Flores: amarillas; la planta florece cuando ya tiene algunos años.
Crecimiento: esférico o alargado; con los años produce brotes y genera formaciones de gran tamaño que en la naturaleza alcanzan los 2 m; crecimiento lento.
Ubicación: junto a una ventana.
Cuidados: emplear tierra exclusivamente mineral; en verano, regar 2 veces a la semana con agua descalcificada; en invierno, regar cada 1-2 semanas si está en lugar cálido, no regar en lugar frío.
Multiplicación: por semillas.
Peculiaridades: al madurar adquiere un color de gris ceniza a marrón claro; esa capa de cera es más acusada cuanto más edad tiene la planta.
Otras especies: *C. cinerea* (color gris claro al madurar), *C. grandiflora* (espinas marrones o negras, flores amarillas); los ejemplares jóvenes de *C. esmeraldana, C. humilis, C. hypogaea* y *C. laui* (forma enana) tienen flores de tonalidades amarillentas.

Coryphantha macromeris
Cactus doña Ana

TAMAÑO: hasta 20 cm.
FLORACIÓN: verano.

Contiene alcaloides

Familia: Cactaceae.
Origen: EE. UU. (estados de Nuevo México y Texas), noreste de México.
Flores: de color rosa violáceo, hasta 7 cm de diámetro.
Crecimiento: forma densos grupos con ápices de hasta 8 cm; en la naturaleza, estos grupos alcanzan 1 m de diámetro.
Ubicación: ventana soleada; en invierno, guardarlo en lugar seco y fresco a más de 5 °C.
Cuidados: sustrato con un elevado porcentaje de tierra mineral.
Multiplicación: por semillas, esquejes o división de la mata.
Peculiaridades: alcaloides psicoactivos y alucinógenos; como estimulante del apetito y elaboración de fármacos.
Otras especies: *C. cornifera* (flores amarillas), *C. durangensis* (flores de color amarillo claro a blanco, –puntas rosas–), *C. echinus* (amarillo luminoso), *C. elephantidens* (rosa), *C. maiz-tablasensis* (amarillo a blanco crema), *C. pygnacantha* (amarillo claro), *C. recurvata* (amarillo con nervadura central oscura), *C. sulcata* (amarilla y roja).

Hibernar con calor/dentro de casa · Hibernar con frío/especies «clásicas» · Resistente al frío y las heladas

Discocactus zehntneri
Discocactus

TAMAÑO: 10 cm.
FLORACIÓN: primavera-verano.

Aroma agradable

Familia: Cactaceae.
Origen: Brasil (norte del estado de Bahía, sobre sustrato de arena de cuarzo pura).
Flores: blancas, de hasta 10 cm; se desarrollan a partir de un cefalium apical; aromáticas.
Crecimiento: globuloso aplanado, hasta 100 cm de diámetro.
Ubicación: junto a una ventana soleada; mantener en invierno a más de 15 °C.
Cuidados: plantar en un sustrato exclusivamente mineral con un elevado porcentaje de arena de río, prescindir de lava y piedra pómez; regar poco en invierno.
Multiplicación: por semillas.
Peculiaridades: a una fase vegetativa de 4-5 años le sigue una fase generativa con cefalium.
Otras especies: *D. bahiensis* (flores de color blanco amarillento), *D. heptacanthus* (flores blancas), *D. horstii* (relativamente pequeño), *D. placentiformis* (flores blancas), *D. zehntneri* var. *buenekeri* (es más pequeña que la variedad nominal; se multiplica con facilidad).

Echinocactus grusonii
Asiento de la suegra

TAMAÑO: 50 cm.
FLORACIÓN: verano.

Uno de los cactus más populares

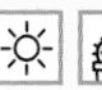   

Familia: Cactaceae.
Origen: México, en una zona muy reducida del estado de Querétaro; extinguido en la naturaleza por la construcción de una presa, pero ampliamente distribuido por el hombre.
Flores: amarillas; se desarrollan en la parte superior de las plantas de más de 30 cm de diámetro.
Crecimiento: esférico, habitualmente sin brotes laterales; en la naturaleza alcanza los 80 cm de diámetro.
Ubicación: apropiado para todos los lugares soleados; puede invernar con calor o con frío hasta 5 °C.
Cuidados: es un cactus fácil de cuidar y apropiado para los principiantes.
Multiplicación: por semillas.
Peculiaridades: es uno de los cactus más conocidos y más extendidos.
Otras especies: *E. horizontalonius* (de crecimiento muy lento), *E. parryi*, *E. polycephalus* (difícil de cultivar), *E. texensis* (sinónimo de *Homalocephalocereus texensis*).

Echinocereus rubispinus

TAMAÑO: 20-30 cm.
FLORACIÓN: primavera.

Espinas muy atractivas

Familia: Cactaceae.
Sinónimos: *E. pectinatus* var. *rubispinus*, *E. rigidissimus* subsp. *rubispinus*.
Origen: México (Chihuahua).
Flores: purpúreas, de 6-8 cm; las plantas de varios años florecen después del primer riego de primavera; se mantienen abiertas hasta 1 semana.
Crecimiento: al principio esférico, luego cilíndrico; raramente produce brotes.
Ubicación: junto a una ventana soleada; conservar durante todo el año a temperatura ambiental o invernar en frío hasta 5 °C.
Cuidados: mantener en un lugar soleado durante la primavera y el verano, regar abundantemente; regar con moderación a finales de verano y en otoño; no regar en invierno; emplear tierra con elevado porcentaje mineral.
Multiplicación: por semillas.
Peculiaridades: las espinas rojo violáceo se alternan con otras más claras.
Otras especies: *E. engelmannii* (ver página 110), *E. fendleri* (ver página 110), *E. papillosus* (ver página 110), *E. triglochidiatus* (ver página 111).

Sol  Semisombra Buena iluminación Verano al aire libre

Híbridos de *Echinopsis*
San Pedro

TAMAÑO: 20-30 cm.
FLORACIÓN: abril-octubre.

Flores sorprendentemente grandes

Familia: Cactaceae.
Origen: artificial.
Flores: diversidad de colores desde el blanco hasta el amarillo y el rojo, también multicolores; en forma de trompeta de hasta 20-30 cm de longitud; se abren a última hora de la tarde, por lo que también se conoce como «falsa reina de la noche».
Crecimiento: primero esférico, luego columnar corto y ramificado; forma grupos.
Ubicación: junto a una ventana soleada; invierno en lugar fresco.
Cuidados: es vivaz y fácil de cuidar; abonar periódicamente; no regar en invierno.
Multiplicación: por esquejes, ya que solamente así se conserva la coloración original.
Peculiaridades: actualmente existe una amplia variedad de híbridos de *Echinopsis*; se pueden obtener efectos interesantes combinando distintos colores.
Otras especies: (ver página 111); en la tabla se exponen algunas variedades.

HÍBRIDOS DE *ECHINOPSIS*

Nombre	Flores	Morfología
'Attila'	pétalos de color rosa denso con franja central de color salmón, plenas cuerpo de color verde oscuro,	areolas blancas; espinas gruesas, cortas y claras
'Canary'	amarillo azufre; pétalos anchos y redondeados	cuerpo claro; estolones; espinas claras con espina central más larga
'Hako-ju'	pequeñas; aromáticas, de color rosa crema a blanco	aristas con una franja córnea clara
'Hildegard Winter'	amarillo limón claro; pétalos estrechos y pequeños	verde oscuro; espinas cortas; aristas muy marcadas
'Love Story'	color cereza a carmín con franja central roja	verde oscuro con largas espinas de color marrón claro
'Materna'	carmín liliáceo intenso marmorado con franja central anaranjada, aromáticas	verde oscuro; espinas densas y claras
'Melodie'	lila con franjas de color salmón; sépalos amarillos y pequeños	oscuro, con espinas cortas, areolas blancas
'Nr. 11'	pétalos anchos; extremo rosa claro, interior amarillento a blanco	con muchas espinas; brotes verdes
'Poesie'	blanco rosado con franjas centrales de color lila anaranjado	areolas blancas con espinas cortas
'Rheingau'	malva con franja central de color rojo asalmonado; pétalos pequeños	costillas profundas; areolas lanosas; espinas oscuras de 1-2 cm
'Rosenfee'	pétalos anchos de color rosa con franja central de color amarillo claro	espinas cortas de color marrón rojizo; areolas lanosas muy separadas entre sí
'Wiener Blut'	flores compactas de color rosa	costillas profundas; areolas lanosas, espinas largas de color marrón oscuro

HÍBRIDOS DE *EPIPHYLLUM*

Nombre	Color de las flores	Forma de las flores
'Bohemienne'	color intenso entre rosa y rojo cereza	medianas; pétalos anchos
'Emperatriz de Alemania'	interior rosa claro, más oscuro hacia el exterior	generalmente se abren varias flores a la vez
'Golden Harvest'	naranja con el centro de color púrpura irisado	flores grandes y acampanadas
'Lotto'	color amarillo limón claro, cáliz amarillo oscuro	flores de 12-15 cm; pétalos estrechos
'Madagascar'	rojo magenta intenso con franja central más oscura, sépalos rojo carmín	pétalos anchos y numerosos; sépalos estrechos
'Maiendank'	rojo carmín a rosa intenso, los pétalos tienen la franja central muy marcada	pétalos alargados
'Meda'	interior blanco, puntas de los pétalos doradas, pétalos externos de color amarillo intenso	flor de gran tamaño; pétalos estrechos
'Orania'	pétalos con el centro de naranja a rojo y el borde violeta, sépalos rojo anaranjado	flores grandes
'Padre'	lila claro a malva, sépalos verdosos; floración duradera	flores muy abiertas y en forma de trompeta
'Pixie Plum'	tonalidades púrpura muy vivas; magenta intenso hacia el interior	flor pequeña y muy intensa
'Sedina'	interior rojo escarlata con el borde magenta, sépalos rojo carmín	flor de gran tamaño, sépalos estrechos
'Spun Gold'	rojo cinabrio, marmorado naranja con franja central clara y ancha	pétalos anchos y redondeados
'Inocente'	pétalos blancos, sépalos de color púrpura intenso	flores de tamaño medio
'Gigante blanca'	color blanco puro, sépalos externos de color crema	flor muy grande con pétalos de 4 cm de anchura

Híbridos de *Epiphyllum*
Cactus de Pascua

TAMAÑO: 40-60 cm.
FLORACIÓN: primavera-verano.

Floración espectacular

Familia: Cactaceae.
Sinónimos: *Phyllocactus, Nopalxochia.*
Origen: forma artificial obtenida a partir de cactus centroamericanos de los géneros *Epiphyllum, Heliocereus, Nopalxochia* y otros.
Flores: de color blanco, amarillo, naranja, rojo o violeta, de 15 a 20 cm.
Crecimiento: brotes anchos en forma de hojas; algunos colgantes, otros erectos.
Ubicación: ante una ventana soleada pero protegido del sol directo; también al aire libre en semisombra; hiberna a unos 15 °C.
Cuidados: en verano, regar y abonar intensamente 1-2 veces a la semana; en invierno, regar poco y muy espaciado; cortar periódicamente las puntas ayuda a mantener su forma compacta y estimula la floración.
Multiplicación: por esquejes, para conseguir una descendencia idéntica.
Peculiaridades: existen cruces de *Epiphyllum* desde el siglo XIX; los ingleses lo conocen como «cactus orquídea».
Variedades: ver tabla.

Sol · Semisombra · Buena iluminación · Verano al aire libre

Epithelantha micromeris
Epitelanta

TAMAÑO: unos 6 cm.
FLORACIÓN: primavera.

Pequeño y precioso

Familia: Cactaceae.
Origen: desde el este de Arizona y sur de Nuevo México pasando por el oeste de Texas hasta Coahuila, San Luis Potosí y Nuevo León; lugares calurosos y áridos con suelos calcáreos.
Flores: de color blanquecino a rosado.
Crecimiento: esférico y pequeño, algunas variedades un poco alargadas, yemas.
Ubicación: junto a una ventana soleada; puede invernar con calor o frío sin bajar de los 8 °C.
Cuidados: plantar en sustrato exclusivamente mineral con adición de gravilla caliza.
Multiplicación: por semillas.
Peculiaridades: se dice que reduce la contaminación eléctrica; los Tarahumara afirman que proporciona energía, da fuerza mágica a los ojos y protege de la gente mala.
Otras especies: *E. bokei* (flores de color rosa claro); *E. micromeris* cuenta con las subespecies *greggii, unguispina, pachyrhiza, polycephala* (todas con flores blancas o rosa pálido).

Eriosyce aurata
Eriosice

TAMAÑO: 15 cm.
FLORACIÓN: verano.

Espinas muy peculiares

Familia: Cactaceae.
Origen: Chile (desierto de Atacama).
Flores: amarillas a rojizas; aparecen en plantas de una cierta edad
Crecimiento: solitario; en la naturaleza alcanza un diámetro de hasta 50 cm.
Ubicación: ante una ventana soleada; puede pasar el invierno en un lugar cálido o frío hasta 8 °C.
Cuidados: emplear sustrato exclusivamente mineral, el humus mata a las raíces; en verano, regar abundantemente cuando haga mucho calor; no regar si el día está nublado o hace frío; si hiberna con calor hay que regar con mucha moderación.
Multiplicación: por semillas, pero es difícil; se puede injertar sobre patrones de *Trichocereus*.
Peculiaridades: espinas gruesas de color amarillo dorado, curvadas hacia arriba y que con los años adquieren un color marrón grisáceo.
Otras especies: actualmente se incluyen en el género *Eriosyce* unas 35 especies de los antiguos géneros *Islaya, Neochilenis, Neoporteria* y *Pyrrhocactus*.

Escobaria hesteri
Escobaria

TAMAÑO: 3-5 cm.
FLORACIÓN: verano.

Forma grandes grupos

 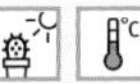

Familia: Cactaceae.
Origen: EE. UU. (Texas, Brewster County).
Flores: color rosa claro a púrpura intenso; unos 2 cm de longitud y 1,5 cm de diámetro.
Crecimiento: brota al cabo de los años y genera grandes grupos en los que cada brote puede alcanzar un diámetro de 5 cm.
Ubicación: junto a una ventana soleada, si pasa el verano al aire libre hay que protegerlo de la lluvia; puede pasar el invierno en un logar frío incluso con temperaturas bajo cero.
Cuidados: emplear sustrato con un elevado porcentaje mineral; mantener seco en invierno.
Multiplicación: por semillas.
Otras especies: *E. alversonii* (flores de color magenta a rosa), *E. chihuahuensis* (rosa claro a púrpura), *E. dasyacanthus* (rosa a marrón), *E. deserti* (verde claro a amarillo paja), *E. tuberculosa* (rosa), *E. zilziana* (amarillo claro); las siguientes especies resisten el invierno a la intemperie si están protegidas de la lluvia: *E. missouriensis, E. orcuttii, E. sneedii, E. vivipara* (ver página 96).

Espostoa lanata

TAMAÑO: varios metros.
FLORACIÓN: verano.

Lana blanca muy ornamental

Familia: Cactaceae.
Origen: sur de Ecuador y norte de Perú.
Flores: 4,5-5,5 cm de longitud; aparecen lateralmente en el cefalium de las plantas de cierta edad.
Crecimiento: cactus columnar que se ramifica a 1 m de altura; en la naturaleza alcanza los 7 m.
Ubicación: junto a una ventana soleada; puede pasar el invierno con calor o con frío, tolerando una temperatura mínima de 4 °C.
Cuidados: establecer un breve período sin riego en verano, no regarlo en invierno si está en un lugar frío.
Multiplicación: por semillas o esquejes.
Peculiaridades: la lana de su cefalium lateral se empleaba antiguamente para rellenar almohadas.
Otras especies: *E. blossfeldium* (antes *Thrixanthocereus*, flores amarillo crema), *E. frutescens* (blancas), *E. guentheri* (antes *Vatricania*, amarillentas), *E. melanostele* (blancas), *E. senilis* (antes *Thrixanthocereus*, púrpura).

Ferocactus cylindraceus
Cactus barril

TAMAÑO: 40-80 cm.
FLORACIÓN: verano.

Espinas multicolores

Familia: Cactaceae.
Sinónimo: *Ferocactus acanthodes.*
Origen: suroeste de EE. UU. hasta México (Baja California).
Flores: de color amarillo a naranja; no florece hasta que tiene una edad avanzada.
Crecimiento: al principio es esférico, luego se vuelve columnar grueso y alcanza los 3 m de altura.
Ubicación: junto a una ventana soleada, en invierno puede estar en un lugar caliente o frío hasta 8 °C.
Cuidados: planta muy robusta; en invierno hay que regarla poco si está en lugar caliente y nada si está en frío.
Multiplicación: por semillas.
Peculiaridades: uno de los cactus globulosos de mayor tamaño; espinas muy gruesas y fuertes.
Otras especies: *F. chrysacanthus* (espinas de color amarillo intenso), *F. echidne* (flores amarillas), *F. latispinus* (redondeado y plano; espinas planas, anchas y rojas), *F. pilosus* (espinas rojas), *F. viridescens* (flores de color amarillo verdoso).

Frailea angelesii

TAMAÑO: 1–2 cm.
FLORACIÓN: primavera-verano.

Cactus pequeño con flores grandes

Familia: Cactaceae.
Origen: Argentina (Colonia, provincia de Entre Ríos).
Flores: amarillas, 2-2,5 cm; muchas veces las flores se autofecundan aun estando cerradas.
Crecimiento: pequeño y esbelto.
Ubicación: lugar con buena luz, proteger del sol directo de mediodía; necesita calor durante todo el año.
Cuidados: regar abundantemente en verano, 1-2 veces a la semana si hace mucho calor; en invierno, a temperatura ambiente, regar con moderación cada 1-2 semanas.
Multiplicación: por semillas; produce una gran cantidad y germinan bien y rápido; también se pueden obtener esquejes.
Peculiaridades: cactus de color berenjena; especie amenazada por la industrialización de su hábitat.
Otras especies: *F. castanea (= F. asteroides), F. curvispina* (flores de hasta 3 cm), *F. gracilima* (hasta 5 cm), *F. mammifera* (2,5 cm), *F. pumilia* (hasta 2 cm), *F. pygmea* (2,5 cm).

Gymnocalycium andreae

TAMAÑO: 5 cm.
FLORACIÓN: primavera-verano.

Espléndidas flores

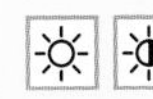   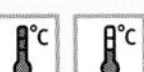

Familia: Cactaceae.
Origen: Argentina (Córdoba, a una altitud de 1.500-2.000 m).
Flores: color amarillo azufre, 4-5 cm de diámetro; florecen incluso las plantas muy jóvenes.
Crecimiento: producen brotes y forman grupos de hasta 15 cm de diámetro.
Ubicación: puede invernar en un lugar caliente junto a la ventana o en lugar frío a 5-10 °C; el sol de mediodía hace que la planta adquiera un color rojizo.
Cuidados: si pasa el invierno en un lugar frío, no regar de diciembre a febrero; si está a temperatura ambiente, regar cada 2 semanas.
Multiplicación: por semillas o esquejes de los brotes laterales.
Peculiaridades: todas las especies se adaptan bien y florecen abundantemente.
Otras especies: *G. anisitsii* (flores blancas y rosas), *G. baldianum* (ver página 112), *G. ragonesei* (flores blancas y esbeltas), *G. saglionis* (flores de color blanco rosado), *G. uruguayense* (flores amarillas).

Hatiora salicornioides

TAMAÑO: 40 cm.
FLORACIÓN: primavera.

Bonitas flores amarillas

Familia: Cactaceae.
Origen: Brasil (estados de Rio de Janeiro y Minas Gerais).
Flores: acampanadas, de color amarillo intenso, todos los pétalos están dispuestos simétricamente en círculo.
Crecimiento: planta epifita y arbustiva con tallos laterales colgantes; los brotes son pequeños pero se ramifican mucho.
Ubicación: junto a una ventana soleada, pero hay que evitar el sol directo; mantener durante todo el año por lo menos a 12-17 °C.
Cuidados: necesita la misma humedad durante todo el año; si hace mucho calor hay que regarla dos veces a la semana.
Multiplicación: por esquejes, pero también es posible por semillas.
Peculiaridades: a este género pertenecen también los cactus de Pascua (híbridos de *Haticora*) que aún se comercializan con el nombre antiguo de *Rhipsalidopsis.*
Otras especies: *H. gaertneri* (uno de los antepasados del cactus de Pascua), *H. roseae* (flores de color rosa).

Hildewintera aureispina
Cola de rata

TAMAÑO: 60-80 cm.
FLORACIÓN: verano.

Planta fácil de cuidar en maceta colgante

   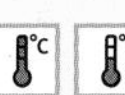

Familia: Cactaceae.
Sinónimos: *Cleistocactus winteri.*
Origen: Bolivia (provincia de Santa Cruz).
Flores: rojo anaranjado, hasta 5 cm de diámetro; la variedad 'Helms Neue' tiene flores plenas y rojas (ver foto).
Crecimiento: tallos esbeltos de hasta 1,5 m de longitud; colgante o reptante; espinas cortas y densas de color dorado.
Ubicación: junto a una ventana soleada; en invierno tolera bien el frío hasta 5 °C, pero puede invernar dentro de casa a temperatura ambiente.
Cuidados: si pasa el invierno con calor necesita mucha luz y hay que regarla cada 3-4 semanas; con frío no hay que regarla.
Multiplicación: por esquejes o semillas; los ejemplares obtenidos por semillas suelen ser colgantes.
Otras especies: en Bolivia se ha descrito recientemente la especie *H. calademononis* (syn. *polonica*), que tiene las espinas blancas.

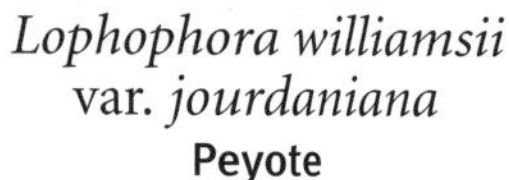

Lophophora williamsii var. *jourdaniana*
Peyote

TAMAÑO: 10-15 cm.
FLORACIÓN: primavera-verano.

La herencia de los aztecas

Familia: Cactaceae.
Origen: EE. UU. (Nuevo México y Texas) y México (Querétaro, San Luis Potosí).
Flores: rosa violáceo, 1-2 cm de diámetro; todas las demás especies del género *Lophophora* tienen flores de color blanco, rosa pálido o amarillo claro.
Crecimiento: redondo aplanado; forma grupos por gemación que en la naturaleza alcanzan 1 m de diámetro.
Ubicación: junto a una ventana bien soleada; es recomendable mantenerlo con calor durante el invierno, la temperatura nunca deberá bajar de los 10-15 °C.
Cuidados: emplear un sustrato exclusivamente mineral para evitar daños en las raíces.
Multiplicación: por esquejes de los brotes laterales o por semillas.
Peculiaridades: contiene mescalina, un potente alucinógeno; ya era empleado en los rituales aztecas.
Otras especies: existen las siguientes variedades de *L. williamsii* var. *caespitosa* (se propaga mucho), *L. williamsii* var. *fricii* (con areolas muy lanosas), *decipiens, koehrsii.*

Mammillaria zeilmanniana
Mamilaria

TAMAÑO: unos 8 cm.
FLORACIÓN: primavera-verano.

Uno de los cactus más clásicos y robustos

Familia: Cactaceae.
Sinónimo: *M. crinita.*
Origen: México (Guanajuato).
Flores: en coronas, violeta carmín a rosa púrpura; también existe una variedad con flores blancas, var. *Albiflora.*
Crecimiento: esférico a ovalado; pocos brotes, o ninguno.
Ubicación: de primavera a otoño junto a una ventana soleada; en invierno necesita estar a 5-15 °C.
Cuidados: no regar durante el invierno, ya que solamente así se consigue que florezca al llegar la primavera.
Multiplicación: por semillas.
Peculiaridades: el género *Mammillaria* es uno de los mas vastos y populares, cuenta con más de 170 especies.
Otras especies: *M. albicans* fo. *slevinii* (ver página 112), *M. bombycina* (flores de color lila rosado a blanco), *M. elongata* (amarillo claro a rosa), *M. fraileana* (rosa con nervio central oscuro), *M. guelzowiana* (ver página 113), *M. insularis* (rosa pálido), *M. surculosa* (ver página 113), *M. vetula* subsp. *gracilis* (ver página 113).

Matucana madisoniorum

TAMAÑO: 10 cm.
FLORACIÓN: verano.

Cactus con pocas espinas

Familia: Cactaceae.
Sinónimo: *Submatucana madisoniorum.*
Orígen: Perú (Dpto. de Amazonas, provincia de Baua); en valles fluviales cálidos a 400-1.000 m de altitud.
Flores: rojo carmín, 5-7 cm, aparecen por tandas varias veces al año.
Crecimiento: esférico, con los años se hace más alargado; espinas escasas pero robustas.
Ubicación: junto a una ventana soleada, puede invernar con calor o con frío, pero no a menos de 12 °C.
Cuidados: se puede plantar en cubetas planas, ya que sus raíces son de desarrollo horizontal; emplear una mezcla de tierra orgánica y mineral.
Multiplicación: por semillas.
Peculiaridades: muy escaso en sus lugares de origen, su supervivencia en la naturaleza está seriamente amenazada.
Otras especies: *M. aurantica* (flores de color rojo anaranjado), *M. aureiflora* (la única especie con flores amarillas), *M. huagalensis* (rosa claro a blanco), *M. paucicostata* (rojo), *M. polzii* (rojo carmín, produce brotes), *M. ritteri* (rojo carmín).

Sol · Semisombra · Buena iluminación · Verano al aire libre

Melocactus matanzanus
Cactus melón, erizo

TAMAÑO: 7-9 cm.
FLORACIÓN: primavera-otoño.

El más pequeño de su género

  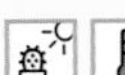 

Familia: Cactaceae.
Origen: norte de Cuba.
Flores: de color rosa a lila; 1-2 cm de longitud, pero sólo 0,5 cm de diámetro; se desarrollan a partir de un cefalium apical; en la naturaleza suelen ser polinizados por los colibríes.
Crecimiento: redondeado, sin brotes laterales.
Ubicación: junto a una ventana soleada, en invernaderos o galerías con calefacción; también necesita calor en invierno, la temperatura no deberá bajar de los 15 °C.
Cuidados: regar con frecuencia en verano; en invierno, regar un poco de vez en cuando.
Multiplicación: por semillas; polinización mediante un pincel.
Peculiaridades: los *Melocactus* tienen dos fases vitales; una fase juvenil sin flores y una fase adulta en la que sólo crece el cefalium y florece.
Otras especies: *M. azureus* (planta de color azul acerado), *M. bahiensis* (flores de color rosa magenta), *M. glaucescens* (planta de color azul claro, cefalium blanco), *M. neryi* (rosa carmín).

Myrtillocactus geometrizans
Garambullo, padre nuestro

TAMAÑO: 80-120 cm.
FLORACIÓN: primavera.

Hermosa tonalidad azulada

Familia: Cactaceae.
Origen: centro y norte de México, muy extendido y forma matas muy densas.
Flores: color blanco a verdoso; 2,5-3,5 cm de diámetro, hasta 10 en una misma areola; florece al alcanzar una cierta edad.
Crecimiento: columnar, se ramifica al crecer; en la naturaleza alcanza los 4 m de altura y se puede ramificar mucho.
Ubicación: junto a una ventana soleada, puede invernar tanto dentro de casa como en un lugar fresco a temperaturas de hasta 8 °C.
Cuidados: emplear una mezcla de tierra mineral y orgánica; cuidar de que tenga un buen aporte de nutrientes; no tratar con productos aceitosos ya que entonces pierde su color azulado.
Multiplicación: por semillas o esquejes.
Peculiaridades: en México se consumen sus frutos como alimento.
Otras especies: *M. eichlamii* (planta de color verde azulado), *M. schenki* (verde oscuro); apenas se cultiva.

Notocactus uebelmannianus

TAMAÑO: 15-17 cm.
FLORACIÓN: primavera.

Flores de colores luminosos

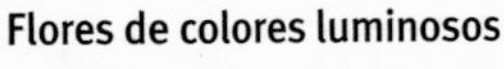 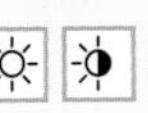 

Familia: Cactaceae.
Sinónimo: *Parodia werneri.*
Origen: Brasil (est. Rio Grande do Sul).
Flores: color rojo o amarillo; las plantas jóvenes ya florecen abundantemente.
Crecimiento: globuloso aplanado, sin brotes laterales.
Ubicación: planta ideal para colocar en la repisa de la ventana, puede permanecer durante todo el año en una habitación con calefacción; temperatura mínima en invierno de 8-12 °C.
Cuidados: emplear tierra para cactus rica en minerales, humus y nutrientes; en verano tolera más agua que la mayoría de cactus, también necesita que lo rieguen de vez en cuando durante el invierno.
Multiplicación: por semillas.
Peculiaridades: casi todas las especies tienen estrías rojas o púrpura; algunos autores todavía consideran a *Notocactus* como subgénero de *Parodia.*
Otras especies: *N. buiningii* (flores amarillas), *N. crassigibbus*, *N. leninghausii*, *N. mueller-melchersii*, *N. ottonis* (ver pág. 113), *N. scopa* (flores de color amarillo claro, extremo lanoso).

OTROS CACTUS RESISTENTES AL FRÍO

Nombre	Flores	Crecimiento y resistencia al frío
Cylindropuntia imbrincata	de color púrpura, en plantas de cierta edad	tallo cilíndrico; se ramifica de forma arborescente hasta 1,5 m; muy resistente al frío, hasta –20 °C
Echinocereus coccineus	rojo anaranjado	redondo o cilíndrico corto; brota formando matas densas; espinas de hasta 2 cm; resiste el frío hasta –15 °C
Echinocereus reichenbachii	violeta claro	cilíndrico corto; solitario o ramificado; piloso; espinas densas; resiste el frío hasta –20 °C; conviene resguardarlo de la lluvia
Escobaria missouriensis	amarillo verdoso	redondeado o alargado; de unos 5-10 cm; solitario o formando pequeñas matas; muy resistente el frío hasta –20 °C
Escobaria sneedii	tonos liláceos	brotes pequeños; se ramifica mucho y forma matas compactas; resiste el frío hasta –12 °C; necesita protección contra la lluvia
Escobaria vivipara	rosa claro a violeta	esférico; forma grupos, raramente solitario; espinas blancas o marrones; muy resistente al frío, por lo menos hasta –20 °C
Maihuenia poeppigii	amarillas	tallos pequeños y con hojas; se ramifica y crece tapizante; resistente al frío hasta –15 °C; necesita algo de humedad incluso en invierno
Opuntia basilaris	color magenta a malva	brotes planos con gloquidios; no tiene espinas muy largas; resiste el frío hasta por lo menos –15 °C
Opuntia fragilis	amarillas, variedades de color rosa, rojo o magenta	brotes pequeños y ovalados; se ramifica de forma tapizante; muy resistente al frío hasta pasados los –25 °C
Opuntia macrorhiza	color amarillo a rojizo	forma matas: areolas grandes, espinas de diferentes longitudes; resistente al frío hasta –20 °C
Opuntia phaeacantha	variedades con flores amarillas o rojas	brotes planos y redondeados; forma grandes matas; resistente al frío hasta –20 °C
Opuntia polyacantha	amarillas, muchas variedades artificiales rosa, rojo o lila	pequeños brotes redondeados y planos; espinas densas y largas; muy atractivo, resiste el frío pasta pasados los –20 °C

Opuntia hystricina
Chumbera puercoespín

TAMAÑO: 30-40 cm.
FLORACIÓN: verano.

Espinas peligrosas

Familia: Cactaceae.
Sinónimo: *Opuntia polyacantha* var. *Hystricina.*
Origen: especie muy extendida en Arizona, Nuevo México, sur de Colorado y Nevada.
Flores: de color rosa o naranja; hasta 7 cm de diámetro.
Crecimiento: los brotes planos se ramifican y producen matas pequeñas pero densas.
Ubicación: zonas del jardín soleadas y con buen drenaje, por ejemplo junto a muros de piedra seca, parterres secos o bajo un alero del tejado: en jardineras o macetas grandes.
Cuidados: resiste bien en las regiones con inviernos crudos; evitar el agua estancada; abonar periódicamente.
Multiplicación: por semillas o esquejes.
Peculiaridades: existen muchas variedades artificiales en distintos colores.
Variedades: 'Hagen' (lila), 'Halle' (amarilla), 'Hamm' (lila), 'Heide' (lila oscuro), 'Heidelberg' (amarillo crema), 'Heilbronn' (lila), 'Memmingen' (amarillo).

 Sol 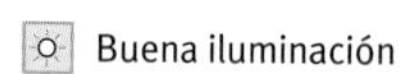 Semisombra · Buena iluminación  Verano al aire libre

Oreocereus celsianus
Cabeza de anciano

TAMAÑO: 2 m.
FLORACIÓN: verano.

Especie muy ornamental con pilosidad blanca

Familia: Cactaceae.
Origen: Bolivia, Perú y norte de Argentina; a altitudes de hasta 4.000 m.
Flores: rojo rosado claro, 7-9 cm de longitud y 3 cm de diámetro; en la zona apical de las plantas de cierta edad.
Crecimiento: tallo grueso que con la edad se ramifica por la base.
Ubicación: ventana soleada; es un cactus de montaña, por lo que en invierno no le sientan bien las habitaciones con calefacción, sino un lugar a 0-10 °C, como por ejemplo el hueco de la escalera o una galería sin calefacción.
Cuidados: sus fuertes raíces requieren una maceta de gran tamaño; mantener seco en invierno.
Multiplicación: por semillas.
Peculiaridades: resiste muy bien los cambios bruscos de temperatura.
Otras especies: *O. doelzianus* (flores de color azulado o rojo carmín, hasta 10 cm de longitud); *O. ritteri* (rojas), *O. trollii* (pilosidad más densa que en *O. celsianus*), *O. varicolor* (rosa a rojo carmín).

Pachycereus pringlei
Cactus candelabro de México

TAMAÑO: 2-3 m.
FLORACIÓN: primavera.

Ornamental, nos recuerda el lejano Oeste

Familia: Cactaceae.
Sinónimo: en México se conoce como cardón.
Origen: México (Sonora y Baja Califor.).
Flores: blancas, de 8 cm de longitud; abiertas día y noche, sólo florecen los ejemplares de más de 3 m de altura.
Crecimiento: en maceta desarrolla una forma columnar gruesa; en la naturaleza alcanza una altura de 11 m con un diámetro de 60 cm.
Ubicación: ante un ventanal soleado; en invernaderos; puede pasar en invierno tanto en frío como en caliente.
Cuidados: si pasa el invierno con calor hay que regarlo un poco, con frío no hay que regarlo.
Multiplicación: por semillas.
Peculiaridades: es un verdadero gigante; junto con *Carnegiea gigantea* (saguaro), son los cactus de mayor tamaño .
Otras especies: *P. marginatus* (syn. *Marginatocereus marginatus*, flores de color rosado a rojo), *P. militaris* (syn. *Backebergia*; el siglo pasado estuvo al borde de la extinción), *P. schottii* (blanco a rosa).

Parodia chrysacanthion
Bola dorada

TAMAÑO: 10 cm.
FLORACIÓN: invierno-primavera.

Flores de larga duración

Familia: Cactaceae.
Origen: Argentina (Jujuy).
Flores: amarillo dorado; muy numerosas, en el cefalium apical.
Crecimiento: al principio es esférico y aplanado, luego alargado; sus espinas de color amarillo dorado hacen que la planta sea muy atractiva incluso sin flores.
Ubicación: se desarrolla bien ante cualquier ventana, incluso ante una que esté orientada al norte y tenga buena luz; en invierno tolera bien la temperatura de la casa, pero también puede invernar en frío.
Cuidados: en verano hay que regar por lo menos 1 vez a la semana, si inverna con calor hay que regar cada 2 semanas.
Multiplicación: por semillas.
Peculiaridades: actualmente también se incluye el género *Notocactus* (ver página 95) en *Parodia*.
Otras especies: *P. comarapana* (flores de color naranja o amarillo), *P. hausteiniana* (syn. *P. laui*, flores rojas), *P. nivosa* (rojo claro), *P. procera* (amarillo limón), *P. ritteri* (rojo azulado a rojo marronáceo), *P. schwebsiana* (rojo sangre), *P. subterranea* (rojo), *P. taratensis* (amarillo dorado).

Hibernar con calor/dentro de casa · Hibernar con frío/especies «clásicas» ·  Resistente al frío y las heladas

Pelecyphora strobiliformis
Cactus piña

TAMAÑO: 4-6 cm.
FLORACIÓN: verano.

Estructura verrucosa muy peculiar

Familia: Cactaceae.
Sinónimo: *Encephalocarpus strobiliformis*.
Origen: México (desierto de Chihuahua, Nuevo León, Tamaulipas y San Luis Potosí); hasta 1.600 m de altitud.
Flores: color violeta luminoso, 1,5-3 cm de diámetro.
Crecimiento: las plantitas obtenidas a partir de semillas son alargadas; luego se hacen esféricas y sin brotes laterales, las verrugas se solapan y están muy comprimidas.
Ubicación: necesita mucha luz, junto a una ventana soleada; puede invernar en caliente o en frío hasta 12 °C.
Cuidados: elegir una maceta amplia y profunda para que se desarrollen bien sus raíces; emplear tierra exclusivamente mineral.
Multiplicación: por semillas.
Peculiaridades: es de crecimiento muy lento; en la naturaleza está casi extinguido.
Otras especies: *P. aselliformis* (flores de color rosa violáceo).

Pilosocereus pachycladus
Cardón

TAMAÑO: 2 m.
FLORACIÓN: primavera.

Color azulado muy bonito

Familia: Cactaceae.
Origen: Noreste de Brasil, allí es muy abundante.
Flores: blanquecinas, 4-7 cm de longitud y 2,2-4,5 cm de diámetro.
Crecimiento: arborescente, en la naturaleza supera los 10 m de altura.
Ubicación: todo el año ante una ventana soleada; puede pasar el invierno en una habitación caldeada, no tolera que la temperatura baje de los 12 °C.
Cuidados: si pasa el invierno con calor hay que regarlo un poco; no emplear productos oleosos ya que estropearían su capa de cera.
Multiplicación: por semillas o esquejes.
Peculiaridades: obtiene su hermoso color azul gracias a la refracción de la luz en la cera de su cutícula; si ésta se estropea, el cactus se vé verde.
Otras especies: *P. catingicola* (flores de color verde claro), *P. chrysacanthus* (rosa claro), *P. chrysostele* (rosa), *P. gounellei, P. magnificus* (tallo de color azul claro).

Rebutia minuscula

TAMAÑO: unos 6 cm.
FLORACIÓN: primavera-verano.

Cactus diminuto y fácil de cuidar

Familia: Cactaceae.
Origen: norte de Argentina, regiones a una altitud de 1.500 a 3.000 m.
Flores: rojo luminoso, las plantas ya florecen a la edad de 2-3 años; suelen florecer por etapas distribuidas a lo largo de algunas semanas.
Crecimiento: esférico comprimido.
Ubicación: junto a una ventana soleada, en invierno necesita frío, hasta 5-8 °C.
Cuidados: todos los *Rebutia* son plantas de montaña, por lo que no toleran el calor constante. Necesitan aire fresco y soportan importantes oscilaciones térmicas; para la floración es importante que pasen un período de reposo invernal. En primavera no hay que regar antes de que se aprecien las primeras yemas.
Multiplicación: por semillas o por brotes laterales.
Peculiaridades: los *Rebutia* son unos de los cactus más fáciles de cuidar y que mejor florecen.
Otras especies: actualmente se incluyen el en género *Rebutia* los antiguos géneros *Aylostera, Mediolobivia, Sulcorebutia* y *Weingartia*.

Sol 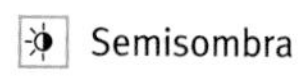 Semisombra Buena iluminación Verano al aire libre

Rhipsalis baccifera
Disciplinilla

TAMAÑO: tallos de 1-1,5m.
FLORACIÓN: primavera-verano.

Exótica planta para maceta colgante

Familia: Cactaceae.
Origen: África tropical hasta Sri Lanka y América tropical.
Flores: de color blanco a crema, de unos 0,5 cm.
Crecimiento: tallos colgantes y muy ramificados que forman grandes cascadas; en la naturaleza alcanzan los 4 m de longitud.
Ubicación: como farolillo o planta colgante cerca de la ventana, pero no le conviene el sol intenso de mediodía; conservar en invierno dentro de casa a por lo menos 15 °C.
Cuidados: regar 1-2 veces a la semana; si pasa el invierno en un ambiente demasiado seco pierde mucha sustancia.
Multiplicación: por semillas así como por esquejes o partición.
Peculiaridades: *Rhipsalis* es el único género de cactus que también es autóctono del Viejo Mundo.
Otras especies: los géneros *Lepismium* y *Pseudorhipsalis* se incluían antiguamente en *Rhipsalis*.

CACTUS COLGANTES

Nombre	Flores	Crecimiento
Lepismium cruciforme	de 1 cm; color blanco o crema; más raro rosa o magenta	brotes triples, verdes y a veces rojizos; desarrollo arbustivo
Lepismium ionanthothele	blanco o amarillento, raramente rosa	tallos verde claro, con cuatro aristas, esbeltos y colgantes; con espinas
Lepismium monacantha	pequeñas; color naranja luminoso; céreas con pequeñas escamas	tallos aplanados; a veces también de desarrollo erecto; con espinas
Pseudorhipsalis ramulosa	color rosa o verde crema; 1 cm	tallos planos, delgados, de color verde o rojo (variedad «Red Coral»); arbustivo, luego colgante
Rhipsalis burchelii	blancas; 1,5 cm; en el extremo de los tallos	muy estilizado, tallos muy ramificados
Rhipsalis camposportoana	blancas, no muy abiertas, de escasamente 1 cm	tallos delgados, verdes, con finas espinas en la punta; frutos de color naranja
Rhipsalis cereoides	blancas; hasta 2 cm	tallos triangulares, frecuentemente retorcidos; cerdas blandas
Rhipsalis ewaldiana	blancas, de apenas 1 cm	vástagos primarios de hasta 60 cm, secundarios muy ramificados
Rhipsalis mesembryanthemoides	blancas, 1,5 cm, en el extremo de los tallos cortos	vástagos redondeados, cortos muy ramificados; al principio erectos, luego colgantes
Rhipsalis micrantha	blancas, de 3 mm	vástagos planos o con tres aristas; poco ramificados
Rhipsalis neves-armondii	plateado a amarillento o amarillo blanquecino, unos 4 cm	vástagos redondeados y alargados de 1 cm de grosor; se ramifica mucho
Rhipsalis paradoxa	blancas, hasta 2 cm	vástagos triangulares de color verde intenso; aristas en zigzag, fruto rojizo
Rhipsalis puniceodiscus	blanco crema, a veces con el centro rojizo, 1,5 cm	vástagos de 40 cm, delgados, verdes y muy ramificados, fruto amarillento
Rhipsalis teres	blanco amarillento; de 1 cm	tallos delgados, verdes y de hasta 50 cm de longitud; muy ramificado

Híbridos de *Schlumbergera*
Cactus de Navidad

TAMAÑO: 30-40 cm.
FLORACIÓN: invierno.

Hermosa floración de invierno

   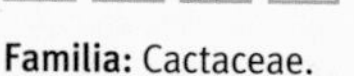

Familia: Cactaceae.
Sinónimo: *Zygocactus*.
Origen: los antepasados de las formas artificiales procedían de Brasil.
Flores: de color blanco, rosa, rojo, lila o amarillo; las tonalidades blancas y amarillas se desarrollan mejor a una temperatura superior a los 18-20 °C.
Crecimiento: secciones de los tallos de 3-6 cm de longitud y 1,5-3,5 cm de ancho; se ramifican de forma arbustiva pudiendo alcanzar 1 m de diámetro.
Ubicación: lugar bien iluminado pero sin sol directo; si en verano está al aire libre necesita tener sombra; necesita calor durante todo el año.
Cuidados: emplear tierra con humus y regar con agua descalcificada; regar durante todo el año, pero mantener relativamente seco durante las 4 semanas siguientes a la floración.
Multiplicación: esquejes de tallos maduros.
Peculiaridades: se puede inducir la floración reduciendo el fotoperíodo (menos de 12 horas de luz) a 15-18 °C o bien aumentándolo (más de 12 horas diarias de luz) a 13-15 °C.

Stenocactus multicostatus
Cactus laminar

TAMAÑO: 10 cm
FLORACIÓN: primavera.

Bonitas ondulaciones

Familia: Cactaceae.
Sinónimo: *Echinofossulocactus multicostatus*.
Origen: México (Coahuila, Chihuahua, Durango).
Flores: de color blanco con franjas centrales de color rojo violeta; aguantan hasta 1 semana.
Crecimiento: esférico aplanado, a veces con el paso de los años también alargado; generalmente solitario.
Ubicación: junto a una ventana soleada; le sienta bien invernar en frío, pero no es imprescindible.
Cuidados: emplear tierra con elevada proporción de minerales; abonar intensamente de marzo a septiembre.
Multiplicación: por semillas.
Peculiaridades: sus hasta 120 finas costillas están dispuestas en ondulaciones uniformes.
Otras especies: *S. captonogonus* (la única de las 10 especies que tiene menos costillas), *S. crispatus* (flores claras con la franja central de color rojo liliáceo), *S. hastatus, S. obvallatus, S. phyllacanthus* (blanco amarillento), *S. sulphureus* (amarillo azufre).

Stetsonia coryne
Stetsonia

TAMAÑO: 1-1,5 m.
FLORACIÓN: verano.

Aspecto muy defensivo

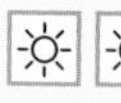  

Familia: Cactaceae.
Origen: noroeste de Argentina y regiones próximas de Bolivia y Paraguay; vive en lugares elevados y áridos.
Flores: blancas, de hasta 15 cm de longitud; se abren durante la noche y permanecen abiertas hasta entrado el día; florecen las plantas de más de 1 m de altura.
Crecimiento: arborescente con gruesas ramificaciones laterales; en su hábitat natural alcanza los 8 m; espinas rectas y duras de hasta 5-10 cm.
Ubicación: junto a una ventana soleada; puede pasar todo el año dentro de casa o invernar en un lugar fresco.
Cuidados: el desarrollo a partir de semillas es muy rápido al principio, pero luego se vuelve lento; regar con frecuencia de primavera a verano.
Multiplicación: por semillas o esquejes (poco práctico, ya que las primeras ramificaciones no aparecen hasta al cabo de 5-7 años).
Peculiaridades: se trata de un género monotípico, es decir, con sólo una especie.

Sol · Semisombra · Buena iluminación · Verano al aire libre

Thelocactus bicolor
Gloria de Texas

TAMAÑO: 10 cm.
FLORACIÓN: primavera-verano.

Espinas muy vistosas

Familia: Cactaceae.
Origen: Texas y norte de México; hasta 2.000 m de altitud.
Flores: magenta claro, raramente blancas, pero en la base siempre rojas; muy grandes, 4-8 cm de diámetro.
Crecimiento: al principio globuloso, luego alargado, alcanza hasta 18 cm de diámetro y casi 40 cm de longitud, espinas bicolores en rojo y amarillo.
Ubicación: junto a una ventana soleada; puede invernar con calor o a 6-15 °C.
Cuidados: emplear un sustrato con elevado porcentaje de tierra mineral; fácil de cuidar.
Multiplicación: por semillas.
Peculiaridades: planta muy atractiva y fácil de mantener.
Otras especies: *T. conothelos* (con variedades que van del rosa púrpura al amarillo pasando por el blanco), *T. hexaedrophorus* (flor blanca con franja central magenta), *T. lausseri* (blanca con franja central oscura), *T. leucacanthus* (amarilla), *T. macdowellii* (sinónimo de *Echinomastus*, flor blanca a rosa claro), *T. setispinus* (amarilla con el centro rojo).

Turbinicarpus valdezianus
Cactus de Valdez

TAMAÑO: 1,5-2,5 cm.
FLORACIÓN: primavera.

Especie estrictamente protegida

Familia: Cactaceae.
Sinónimos: *Normanbokea valdeziana, Pelecyphora valdezianus, Neolloydia valdezianus*.
Origen: México (Saltillo, Coahuila, San Luis Potosí).
Flores: blancas con franja central magenta, 2-2,5 cm de diámetro; las plantas florecen a partir de los 3 años.
Crecimiento: forma cilíndrica individual con raíces napiformes; espinas plumosas muy peculiares.
Ubicación: junto a una ventana soleada y caliente; inverna a la temperatura de la casa o en lugar fresco a 4-15 °C.
Cuidados: emplear tierra exclusivamente mineral y con muy buen drenaje; no regar en invierno si está en lugar frío.
Multiplicación: fácil por semillas, germinan con rapidez.
Peculiaridades: cactus enano de crecimiento lento.
Otras especies: *T. lophophoroides* (blanco a rosa, tierra con yeso), *T. pseudopectinatus* (blanco con franja central magenta), *T. viereckii* (magenta).

Uebelmannia pectinifera

TAMAÑO: 15 cm.
FLORACIÓN: primavera.

Coloración sorprendente

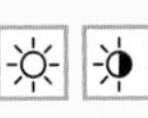 

Familia: Cactaceae.
Origen: Brasil (montañas de Minas Gerais); sustrato de cuarzo.
Flores: amarillas, 1 cm de diámetro.
Crecimiento: al principio esférico, luego alargado; las espinas de las aristas aparecen al cabo de algunos años; en su hábitat natural alcanza los 50 cm.
Ubicación: junto a una ventana soleada; todo el año en interior, galería o invernadero; la temperatura no debe bajar de 15 °C.
Cuidados: emplear tierra mineral rica en cuarzo, no ha de contener elementos alcalinos como piedra pómez o lava; regar moderadamente en invierno.
Multiplicación: por semillas; sus raíces son delicadas, por lo que es recomendable injertarlo.
Peculiaridades: cobertura de cera de un curioso color violáceo; no muy fácil de cultivar.
Otras especies: *U. buiningiana* (esférico, de color marrón liliáceo con flores amarillas), *U. gummifera* (verde o rojo, flores amarillas).

Las otras suculentas

Bajo la denominación de «otras suculentas» agrupamos a todas aquellas especies de plantas que acumulan reservas de agua y no pertenecen a la gran familia de los cactus. Presentan una fascinante diversidad de formas y coloridos.

Pocas de las otras suculentas proceden del continente americano. La mayoría viven en África, pero también hay algunas en Europa y en Asia. Existen especies con enormes espinas, pero también muchas completamente inermes. Según la parte de la planta que empleen para almacenar el agua distinguiremos entre plantas de tallo suculento y plantas de hojas suculentas. Las formas esféricas o columnares de las plantas de tallo suculento suelen parecerse mucho a las de los cactus, mientras que las plantas de hojas suculentas nos sorprenden con una increíble variedad de formas.

Con suculentas pequeñas y algunas piedras puede crearse un pequeño jardín de desierto en una maceta.

Adenium obesum
Rosa del desierto

TAMAÑO: 80 cm.
FLORACIÓN: primavera-verano.
Flores muy atractivas

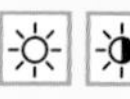   

Familia: Apocynaceae.
Origen: sur de Arabia, de Uganda a Mozambique, de Kenia al norte de Tanzania.
Flores: rosa con el centro claro.
Crecimiento: caudex grueso y muy ramificado, arbustivo; en la naturaleza alcanza los 2 m.
Ubicación: junto a una ventana soleada, en una galería o en invernadero; necesita una temperatura de 18-25 °C durante todo el año.
Cuidados: regar abundantemente en verano y con moderación en invierno; asegurar un buen drenaje.
Multiplicación: por semillas; también por injerto sobre adelfa (ver ilustración) así como esquejes apicales, pero éstos no producen su grueso y característico caudex.
Peculiaridades: cuando hace frío o el ambiente es demasiado seco, la planta inicia una fase de reposo y pierde las hojas; generalmente se venden variedades artificiales.
Otras especies: se comercializan muchas variedades de la especie *A. obesum*.

Adromischus cooperi

TAMAÑO: 10 cm.
FLORACIÓN: verano.

Planta de hojas suculentas muy agradecida

Familia: Crassulaceae.
Origen: Sudáfrica (región de El Cabo) y Namibia.
Flores: de color rosa a rojo; racimos en tallos florales de hasta 40 cm de altura.
Crecimiento: hojas verdes y gruesas con manchas marrones o negras, muy apretadas contra el corto tallo de la planta.
Ubicación: tolera estar a pleno sol, pero al aire libre hay que protegerla; puede pasar el invierno dentro de casa o invernar a más de 8 °C.
Cuidados: regar una vez a la semana en verano y dos veces a la semana en invierno, si hiberna en un lugar fresco bastará regarla un poco cada 3-4 semanas.
Peculiaridades: planta ideal para la repisa de la ventana, se queda pequeña.
Otras especies: *A. cristatus* (hojas de color verde claro con el borde ondulado), *A. maculatus* (hojas de color verde azulado con manchas rojas), *A trigynus* (hojas moteadas).

A. arboreum var. *atropurpureum*
Pastel de risco, bejeques

TAMAÑO: hasta 1 m.
FLORACIÓN: verano.

Plantas de hojas ornamentales

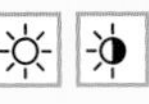  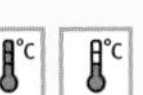

Familia: Crassulaceae.
Origen: variedad artificial obtenida a partir de plantas de las Islas Canarias.
Flores: amarillas; racimos en tallos florales de 5-20 cm.
Crecimiento: semiarbustivo poco ramificado, en la naturaleza alcanzan hasta 2 m de altura.
Ubicación: junto a una ventana soleada; puede invernar con calor o con frío hasta 5 °C.
Cuidados: tierra para cactus o tierra para flores con arena; si hiberna en una habitación con calefacción hay que regarla y abonarla periódicamente; si hiberna en frío hay que regarla muy poco.
Multiplicación: por esquejes apicales o de tallo.
Peculiaridades: si pasa el invierno en un lugar frío puede perder las hojas.
Otras especies: *A. lindleyi* (arbolito, la savia de sus hojas es un buen antídoto contra las irritaciones causadas por la savia de las euforbias), *A. nobile, A. tabuliforme* (roseta aplanada, no tolera el sol directo), *A. urbicum*.

Agave 'Shoi Rajin'
Agave, pita

TAMAÑO: 12 cm.
FLORACIÓN: verano.

Agave enano

  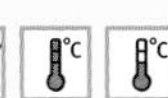

Familia: Agavaceae.
Sinónimos: *A. potatorum* var. *verschaffeltii* 'Shoi Rajin', *A. potatorum* var. *verschaffeltii* 'Minima'.
Origen: desciende de la variedad *A. potatorum* var. *verschafeltii*, originaria de México y que es tres veces más grande.
Flores: florece raramente y al cabo de muchos años; la roseta muere tras la maduración de las semillas.
Crecimiento: roseta compacta, hojas gruesas y dentadas de color gris azulado, forma grupos mediante cortos estolones; las rosetas individuales no superan los 8 cm de diámetro.
Ubicación: cualquier ventana con buena luz; puede invernar en caliente o en frío hasta 5 °C.
Cuidados: emplear tierra para cactus o tierra para flores con arena; si pasa el invierno en frío hay que regarla muy poco; a 15 °C hay que regar cada 4 semanas, y con calor hay que regarla cada 3 semanas.
Multiplicación: generalmente por esquejes de los estolones, rara vez por semillas.

Aloe descoingsii x *haworthioides*
Aloe de Tucson

TAMAÑO: 10 cm.
FLORACIÓN: otoño-primavera.

Bonito áloe enano

Familia: Aloaceae.
Origen: hibridación artificial a partir de dos especies de Madagascar.
Flores: en racimos, según la temperatura pueden ser blancas, rosas o naranjas.
Crecimiento: forma grupos de pequeñas rosetas.
Ubicación: junto a una ventana soleada; puede invernar dentro de casa o en lugar frío hasta 5 °C.
Cuidados: si pasa el invierno en un lugar cálido hay que regarlo con moderación; si está en frío es mejor no regar apenas.
Multiplicación: es un áloe muy vivaz y robusto.
Peculiaridades: muchos áloes son apreciados por sus propiedades curativas, especialmente en casos de quemaduras e infecciones así como para el cuidado de la piel y para aliviar muchas dolencias.
Otras especies: *A. arborescens* (más curativo que *Aloe vera*), *A. dichotoma*, *A. polyphylla*, *A. rauhii*, *A. squarrosa*, *A. variegata* (ver pág. 115), *A. vera* (el áloe comúnmente empleado para fines curativos).

Bowiea volubilis

TAMAÑO: 16 cm (sólo el bulbo).
FLORACIÓN: verano.

Curiosa planta de bulbo

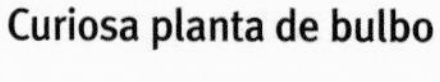

Familia: Hyacinthaceae.
Origen: sabanas áridas y bosques del este y sureste de África.
Flores: verdes o verde amarillento, sólo 1-1,6 cm, poco evidentes.
Crecimiento: del bulbo crecen al principio unas hojas no diferenciadas y luego unos brotes laterales que dan lugar a vástagos rastreros de varios metros de longitud que se ramifican en cortos tallos verdes.
Ubicación: junto a una ventana con sol o semisombra; en invierno hay que mantenerla por lo menos a 10-15 °C.
Cuidados: durante el período vegetativo hay que regarla abundantemente una vez a la semana; cuando los tallos se retraen en invierno no hay que volver a regar hasta la primavera.
Multiplicación: por semillas o por bulbos hijos.
Peculiaridades: el bulbo suele crecer bajo tierra, pero también en la superficie; como planta ornamental, resulta más bonito que el bulbo esté a la vista; en Sudáfrica, ambas especies se emplean como plantas medicinales.
Otras especies: *B. gariepensis* (produce vástagos azulados).

Ceropegia ampliata

TAMAÑO: hasta 2 m.
FLORACIÓN: finales de verano.

Bonita planta de candelabros

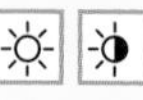

Familia: Asclepiadaceae.
Origen: regiones tropicales y subtropicales de África, Sudáfrica, Madagascar.
Flores: flores en candelabro de color blanco a verde claro, el lado interno de los pétalos es de color amarillo a verde oliva con una franja anular transversal de color violeta.
Crecimiento: tallos largos y delgados, colgantes o reptantes, con un diámetro de aproximadamente 5 mm; hojitas que rápidamente se secan.
Ubicación: junto a una ventana soleada o con semisombra; mantener todo el año con calor y por lo menos a 15 °C.
Cuidados: regar y abonar con frecuencia; en invierno menos.
Multiplicación: por esquejes apicales o de tallo; más raramente por semillas.
Otras especies: *C. cimiciodora* (tallos reptantes), *C. dichotoma* y *C. fusca* (ambas tienen tallos erectos y gruesos), *C. radicans* y *C. sandersonii* (ambas tienen tallos reptantes con hojas suculentas y flores llamativamente grandes), *C. woodii* (forma tubérculos en tallos colgantes).

Sol · Semisombra · Buena iluminación · Verano al aire libre

Conophytum bilobum

TAMAÑO: unos 7 cm.
FLORACIÓN: otoño.

Planta atractiva y fácil de cuidar

Familia: Aizoaceae.
Origen: Sudáfrica (norte de Namaqualand).
Flores: amarillas, de unos 3 cm de diámetro; 7 subespecies y variedades con flores también amarillas o rojizas.
Crecimiento: dos gruesas hojas suculentas unidas en dos terceras partes; con el tiempo forman matas tapizantes.
Ubicación: junto a una ventana con buena luz; mantener con calor durante todo el año, la temperatura no puede bajar de los 15 °C.
Cuidados: dado que esta planta crece principalmente de septiembre a mayo, de junio a agosto sólo hay que regarla un poco cada 3-4 semanas.
Multiplicación: por semillas o división.
Otras especies: *C. ectypum* (flores de color rosa o rosa intenso, raramente amarillas), *C. ficiforme, C. minusculum* y *C. minutum* (todas con flores blancas o rosas), *C. hians* (blanco, crema, rosa, rojo o rojo anaranjado), *C. minimum, C. abcordellum* y *C. pellucidum* (todas con un bonito dibujo en los brotes), *C. truncatum* (flores de color blanco, rosa o ámbar).

Crassula portulacea

TAMAÑO: hasta 1 m.
FLORACIÓN: invierno-primavera.

Magnífica planta de hojas suculentas

Familia: Crassulaceae.
Sinónimo: *Crassula ovata.*
Origen: Sudáfrica (Bushveld Valley); crece sobre las rocas.
Flores: de color blanco o rosa suave en pequeños tallos florales.
Crecimiento: arbustivo, tallos erectos y muy ramificados; en sus lugares de origen produce gruesos tallos de hasta 2,5 m.
Ubicación: vive bien ante cualquier ventana; puede pasar el invierno con calor o con frío hasta 5 °C.
Cuidados: muy poco exigente, regar 1 vez a la semana, en invierno menos.
Multiplicación: fácil por esquejes apicales, de tallo o de hojas, también por semillas.
Peculiaridades: existe una variedad enana, *C. portulacea* var. *minor.*
Otras especies: *C. columnaris* (ver página 116), *C.* - Hybr. 'Buddha's Tempel' (ver página 116), *C.* Hybr. 'Morgan's Beauty' (ver página 116), *C. lycopodioides* (ver página 116), *C. mesembryanthemopsis* (ver página 116).

Cynanchum marnierianum

TAMAÑO: 80-150 cm.
FLORACIÓN: fin. verano-otoño.

Curiosa planta para maceta colgante o farolillo

Familia: Asclepiadaceae.
Origen: Madagascar (Toliava).
Flores: de color amarillo, en pequeños grupos por toda la planta, parecen pequeños candelabros; suave olor a miel; floración muy abundante.
Crecimiento: tallos nudosos sin hojas, unos 4-6 mm de grosor; colgante.
Ubicación: ante una ventana con buena luz, cuanto más luz, más seguro es que florecerá; ha de pasar el invierno en una habitación con calefacción.
Cuidados: emplear un sustrato rico en humus, regar con moderación durante todo el año, en invierno algo menos; si los tallos crecen demasiado, se los puede cortar tranquilamente y emplearlos como esquejes; fácil de cuidar.
Multiplicación: por esquejes apicales o de tallo; es preferible plantar varios en una misma maceta.
Peculiaridades: atractiva planta cuya superficie cérea y verrucosa le confiere un aspecto muy exótico.
Otras especies: son poco frecuentes en los viveros, como por ejemplo *C. perrieri* (con tallos erectos y colgantes).

Echeveria pulvinata
Echeveria

TAMAÑO: 10-20 cm.
FLORACIÓN: primavera.

Pilosidad muy vistosa

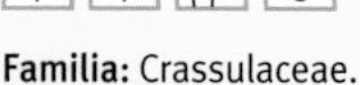

Familia: Crassulaceae.
Origen: México (Oaxaca).
Flores: flores de color anaranjado en racimos.
Crecimiento: tallos ramificados con hojas gruesas y pilosas dispuestas en roseta.
Ubicación: junto a una ventana soleada o con mucha luz; mantener en invierno a 5-15 °C.
Cuidados: plantar en sustrato mineral con humus y muy buen drenaje; cambiar con frecuencia de maceta.
Multiplicación: por esquejes apicales, raramente por semillas; también es posible por esquejes de hojas.
Peculiaridades: actualmente se comercializa como 'Frosty' una variedad geográfica de Oaxaca que tiene pelos blancos.
Otras especies: *E. agavioides* (con forma de agave), *E. gibbiflora* (con hojas de color verde claro y sin pelos); *E. glauca* var. *pumila* (azulada), *E. laui* (su capa de cera le da un color totalmente blanco); *E. leucotricha* y *E. pilosa* (con pelos), *E. setosa* 'Blue Miracle' (una variedad azul especialmente atractiva).

Euphorbia ingens
Euforbia candelabro

TAMAÑO: más de 2 m.
FLORACIÓN: finales de verano.

Planta de interior muy decorativa

Familia: Euphorbiaceae.
Origen: zona costera de Natal y regiones tropicales de África.
Flores: flores azules muy poco evidentes.
Crecimiento: arborescente; en la naturaleza alcanza una altura de 10 m.
Ubicación: necesita mucha luz; invernar a principios de noviembre a 10-15 °C o en lugar con calefacción; tolera bien los cambios de temperatura (por ejemplo zonas con corrientes de aire).
Cuidados: plantar en tierra para cactus, regar a fondo cada 2 semanas de marzo a octubre dejando que se seque entre riegos; si hiberna con calor hay que regar 3-4 veces a lo largo del invierno; si hiberna con frío no hay que regarla; podar si crece demasiado.
Multiplicación: por semillas o esquejes (coagular su savia lechosa empleando agua caliente).
Peculiaridades: *Euphorbia* es uno de los géneros de suculentas con mayor número de especies; su savia lechosa puede causar irritaciones en la piel.

Faucaria tigrina
Garganta de tigre

TAMAÑO: hasta 8 cm.
FLORACIÓN: verano.

Hojas con el borde aserrado

Familia: Aizoaceae.
Origen: Sudáfrica (en una pequeña región alrededor de Grahamstown, Eastern Cape).
Flores: de color amarillo dorado, como en todas las especies de *Faucaria*; de unos 5 cm de diámetro.
Crecimiento: pequeñas rosetas de hojas carnosas que se ramifican formando pequeños grupos.
Ubicación: junto a ventanas orientadas al sur, oeste o este; mantener con calor también durante el invierno.
Cuidados: plantar en tierra arenosa; regar con moderación durante todo el año, en verano algo más que en invierno.
Multiplicación: por semillas o esquejes apicales.
Otras especies: *F. albidens* (borde de las hojas dentados en blanco), *F. bosscheana* (sin dentado), *F. britteniae* (verde grisáceo), *F. felina* (con muchos dientes pequeños), *F. gratiae* (con puntitos blancos), *F. paucidens, F. subintegra, F. tuberculosa* (con superficie áspera y verrucosa).

Sol · Semisombra · Buena iluminación · Verano al aire libre

Fockea edulis

TAMAÑO: 20-30 cm.
FLORACIÓN: primavera.

Interesante planta con caudex

Familia: Asclepidaceae.
Origen: Sudáfrica (provincias de Eastern Cape y Western Cape) y Swazilandia; casi siempre en regiones cercanas a la costa.
Flores: pequeñas y poco evidentes, de color claro a verde amarillento, en grupos de 2-6 en tallos florales.
Crecimiento: el tallo y la raíz se engrosan formando un lignotubérculo (caudex) que puede adoptar aspectos muy curiosos y diversos.
Ubicación: junto a una ventana soleada o con muy buena luz, al aire libre solamente en lugares con semisombra; puede invernar con frío, pero es mejor mantenerla dentro de casa durante todo el año para que no pierda las hojas.
Cuidados: planta tolerante y poco exigente; tolera igual de bien las temperaturas uniformes que los cambios térmicos; si hiberna en frío y pierde las hojas hay que dejar de regar.
Multiplicación: por semillas.
Otras especies: *F. capensis* (incl. *F. crispa*; hojas onduladas y muy pilosas), *F. multiflora* (floración abundante; amarillo a verde).

Frithia pulchra

TAMAÑO: 4-5 cm.
FLORACIÓN: primavera-verano.

Flores muy bonitas

Familia: Aizoaceae.
Origen: Sudáfrica (noroeste); sobre rocas de arenisca con cuarzo.
Flores: de color rosa púrpura luminoso con el centro blanco; muy llamativas y decorativas.
CRECIMIENTO: planta compacta con 6-9 hojas en roseta; forman pequeños grupos; en la naturaleza, para protegerse de la deshidratación sólo asoman del suelo las puntas de las hojas.
Ubicación: junto a una ventana soleada; en invierno hay que mantenerla a 15-18 °C.
Cuidados: regar periódicamente en primavera y verano, no regar en invierno.
Multiplicación: por semillas.
Peculiaridades: planta muy atractiva y fácil de cuidar; una de las suculentas más apreciadas.
Otra especie: *F. humilis* (sinónimo de *F. occidentalis* y *F. pulchra* var. *minima*) tiene flores de color blanco rosado con el centro amarillo.

Haworthia truncata

TAMAÑO: 8-10 cm.
FLORACIÓN: verano-otoño.

Típica planta de ventana

Familia: Aloaceae.
Origen: Sudáfrica (Western Cape, Little Karoo).
Flores: blancas con nervaduras marrones, varias en una espiga.
Crecimiento: planta pequeña cuyas hojas suelen estar distribuidas en dos hileras, con los años brota formando grupos.
Ubicación: junto a una ventana con buena luz, evitar el sol directo; mantener con calor durante el invierno ya que crece durante esa época.
Cuidados: regar con moderación durante todo el año, no dejar que se seque durante mucho tiempo.
Multiplicación: por semillas o por separación de plantas hijas.
Peculiaridades: las hojas tienen su extremo en forma de ventanillas planas; en la naturaleza es lo único que asoma a la superficie.
Otras especies: *H. attenuata* (ver pág. 117), *H. emelyae* (hojas de color verde claro con líneas claras), *H. fasciata* (con verrugas blancas en la cara inferior de las hojas), *H. reinwardtii* (rosetas con tallo), *H. springbokvlakensis* (ver pág. 117).

Jatropha podagrica
Jatrofa, tártago

TAMAÑO: 40-50 cm.
FLORACIÓN: invierno-verano.

Forma inconfundible

Familia: Euphoriaceae.
Origen: América Central (de Guatemala a Panamá).
Flores: de color rojo anaranjado luminoso en tallos florales de hasta 20 cm.
Crecimiento: tallo dilatado en forma de botella.
Ubicación: ventana con buena luz, proteger del sol directo, en verano se puede tener en el exterior pero con sombra; en invierno no tolera temperaturas de menos de 15 °C.
Cuidados: regar durante todo el año con moderación; sus períodos de reposo no están ligados a las estaciones, si pierde las hojas hay que reducir mucho el riego.
Multiplicación: por semillas.
Peculiaridades: en inglés recibe el nombre de «Purging Nut».
Otras especies: *J. cathartica* (conocida con el nombre de 'Berlandieri', con tubérculos redondos y flores rojas), *J. mcvaughii* (tallos gruesos, hojas pilosas, flores amarillentas), *J. multifida* (tallo estilizado con hojas plumiformes), *J. peltata* (hojas en forma de escudo).

Kalanchoe beharensis
Kalanchoe

TAMAÑO: 1-2 m.
FLORACIÓN: primavera.

Hojas ornamentales como de terciopelo

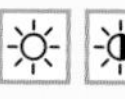   

Familia: Crassulaceae.
Origen: bosques secos de Madagascar.
Flores: de color verde rosado a verde amarillento, en tallos florales axilares de hasta 40-50 cm con muchas flores.
Crecimiento: tallo robusto, erecto y poco suculento con hojas pilosas de gran tamaño (20-40 cm).
Ubicación: junto a ventanas soleadas o con buena luz; invierno en caliente o en frío hasta °C.
Cuidados: plantar en tierra arenosa para flores; regar intensamente en verano y con moderación en invierno; muy fácil de cuidar.
Multiplicación: por esquejes.
Peculiaridades: es sumamente vital, hasta las hojas arrancadas generan nuevas plantas.
Otras especies: *K. blossfeldiana* (rojo escarlata), *K. laetivirens* (produce nuevas plántulas en sus hojas), *K. orgyalis* (hojas suaves, variedades de color marrón a plateado), *K. thrysifolia* (hojas grises con el borde rojo), *K. tormentosa* (hojas gruesas como de fieltro).

Pachypodium lamerei
Palma de Madagascar, paquipodio

TAMAÑO: 2 m.
FLORACIÓN: verano.

Apreciada como planta de interior

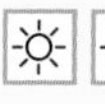   

Familia: Apocynaceae.
Origen: Madagascar.
Flores: blancas, aromáticas, de 6-11 cm de longitud, en tallos florales ramificados de hasta 70 cm.; sólo florecen las plantas de 120-200 cm de altura.
Crecimiento: en la naturaleza tiene crecimiento arborescente, forma una copa muy ramificada y alcanza los 6 m de altura.
Ubicación: junto a una ventana soleada o bien luminosa; mantener con calor durante todo el año, nunca por debajo de los 15 °C.
Cuidados: regar periódicamente; emplear buena tierra para flores.
Multiplicación: por semillas.
Otras especies: *P. baronii* var. *windsorii* (ver página 117), *P. brevicaule* (difícil de cultivar, forma un tubérculo, flores amarillas desde los primeros años), *P. cactipes* (floración abundante a partir de una altura de 15-25 cm, flores amarillas), *P. geayi* (muy robusta, con hojas rojas), *P. lealii* subsp. *saundersii* (África, muy robusta, caudex redondo, flores de color rosa a blanco).

Sol · Semisombra · Buena iluminación · Verano al aire libre

Pleiospilos nelii

TAMAÑO: hasta 15 cm.
FLORACIÓN: verano-otoño.

Fascinante planta de aspecto roca

Familia: Aizoaceae.
Origen: Sudáfrica (Northern Cape, sureste de Karoo).
Flores: de color amarillo anaranjado, muy grandes, hasta 7 cm de diámetro.
Crecimiento: la planta está formada generalmente por dos pares de hojas muy suculentas; cuando crecen dos nuevas, se marchitan las dos más viejas; con el tiempo forma grupos.
Ubicación: junto a una ventana soleada; sólo puede estar en el exterior si está protegida contra la lluvia; en invierno necesita calor.
Cuidados: regar moderadamente durante todo el año; también necesita humedad en invierno.
Multiplicación: por semillas.
Peculiaridades: son plantas fáciles de cuidar pero sensibles a las infestaciones por ácaros, por lo que habrá que examinarlas con frecuencia en busca de estos parásitos.
Otras especies: existe una atractiva variedad roja 'Royal Flush': *P. bolusii* (hojas carenadas, flores amarillas), *P. compactus* (hojas más pequeñas, flores amarillas, muchas variedades), *P. simulans* (flores amarillo a naranja).

Senecio haworthii

TAMAÑO: 20 cm.
FLORACIÓN: a finales de verano.

Hojas de color blanco plateado

Familia: Asteraceae.
Origen: Sudáfrica (Northern Cape y Little Namaqualand).
Flores: florece pocas veces, flores amarillas.
Crecimiento: vástagos erectos con hojas alargadas y suculentas; cubiertos por una densa pilosidad; se ramifican formando pequeños arbustos.
Ubicación: junto a una ventana con buena luz, puede pasar el invierno en caliente o en frío hasta 12 °C.
Cuidados: regar con moderación durante todo el año, si pasa el infierno en un lugar frío se vuelve muy compacta.
Multiplicación: por esquejes.
Peculiaridades: su pilosidad blanquecina brilla al darle la luz del sol.
Otras especies: *S. articulatus, S. crassissimus* (hojas y brotes de color violeta), *S. kleinia* (syn. *S. kleinia neriifolia*), *S. scaposus, S. sempervivus* (flores de color rojo vivo o rosa violáceo), *S. stapelliformis* (planta de tallo suculento con franjas oscuras y dibujos en cuña).

Stapelia gettliffei

TAMAÑO: 15-20 cm.
FLORACIÓN: verano-otoño.

Flores muy olorosas

Familia: Asclepiadaceae.
Origen: Sudáfrica, Mozambique, Zimbabwe.
Flores: generalmente solitarias, de 9-12 cm de diámetro, color púrpura con franjas rojizas.
Crecimiento: tallos reptantes de 1,2-1,5 cm de diámetro, forman matas.
Ubicación: proteger del sol intenso durante los meses de verano; necesita unos 15-18 °C en invierno.
Cuidados: emplear tierra con un elevado porcentaje mineral; regar con moderación de primavera a otoño, no regar en invierno.
Multiplicación: por semillas, división o esquejes apicales.
Peculiaridades: sus flores huelen a carroña, así atraen a las moscas que se encargan de su polinización.
Otras especies: *S. gigantea* (grandes flores amarillas con franjas transversales de color púrpura), *S. grandiflora* (flores púrpura con franjas transversales amarillas), *S. kwebensis* (flores muy bonitas de color amarillo a marrón oscuro), *S. variegata* (actualmente se la clasifica como *Orbea variegata*, flores manchadas de color marrón rojizo).

OTRAS ESPECIES DE CACTUS

Nombre	Ubicación	Origen	Morfología	Cuidados	Peculiaridades	Grupo
Astrophytum asterias 'Super Kaputo' Falso peyote	Sol	Cultivado, probablemente se trata de una mutación espontánea de *A. asterias*	Planta recubierta de gruesos copos blancos; flores amarillas con el centro rojo	Tierra exclusivamente mineral; mínimo 15 °C, regar cada 1-2 semanas, poco en invierno	Existen muchas variedades artificiales de este género, algunas necesitan ser injertadas	°C
Astrophytum capricorne	Sol, Verano al aire libre	Norte de México; desierto de Chihuahua	Esférico, luego alargado, hasta 25 cm; en verano flores amarillas con centro rojo	Tierra muy mineral; sensible a la humedad; regar de vez en cuando en invierno	Salpicado de manchas amarillas, una especie bonita y curiosa	°C
Astrophytum ornatum	Sol, Verano al aire libre	México: Querétaro e Hidalgo	Al principio esférico, luego cilíndrico; flores de color amarillo luminoso, 7-8 cm	Es la especie más robusta y vivaz del género *Astrophyton*	Las manchas de esta especie pueden ser más o menos intensas. Pueden formar franjas, dibujos, o incluso faltar del todo	°C, °C
Cylindropuntia spinosior	Sol	EE. UU.: Arizona y Nuevo México, desiertos y praderas; también en amplias zonas de México	Compacta de hasta 50 cm de altura, espinas punzantes; flores muy variables	Tolera la humedad del invierno sin protección, en el suelo o en jardineras	Posee espinas fuertes y punzantes así como almohadillas de gloquidios; ambos tipos de espinas producen efectos muy desagradables	❄
Echinocereus engelmannii	Sol, Verano al aire libre	Suroeste de EE. UU. y el norte de México desde el nivel del mar hasta 2.400 m de altitud	Forma grupos; espinas variables y vistosas; grandes flores de color rojo liliáceo	Si inverna en frío no hay que regarlo, con calor hay que regar con moderación	Sus frutos de 3 cm son rojos y de sabor dulce, de ahí su nombre común	°C, °C
Echinocereus fendleri	Sol, Verano al aire libre	EE. UU.: Arizona, Nuevo México, Colorado, Texas; México: Chihuahua y Sonora	Vástagos de hasta 25 cm; flores de color magenta; espinas de gran tamaño	Elevado porcentaje de tierra mineral; en invierno mantenerlo en frío hasta 12-15 °C	Existen poblaciones a más de 1.800 m de altitud, puede vivir al aire libre todo el año si se protege contra la lluvia	°C, ❄
Echinocereus papillosus	Sol, Verano al aire libre	EE. UU.: sur de Texas; México: Tamaulipas	Forma grupos, espinas cortas; flores grandes de color amarillo claro con el centro rojo	Lo ideal es que pase el invierno a 5-15 °C	Los equinocereus que forman matas se pueden multiplicar por esquejes apicales, pero lo más habitual es hacerlo por semillas	°C

Sol Semisombra Buena iluminación Verano al aire libre

OTRAS ESPECIES DE CACTUS

Nombre	Ubicación	Origen	Morfología	Cuidados	Peculiaridades	Grupo
Echinocereus triglochidiatus		Amplia distribución en el suroeste de EE. UU. y zonas limítrofes de México	Tallo corto y cilíndrico; flores de color rojo anaranjado a rojo intenso con el centro claro	Puede vivir al aire libre y sin protección alguna; en invierno no es recomendable que esté a menos de 5°C	Especie muy rica en formas con 3 a 20 espinas por areola; incluso existe la variedad inermis, sin espinas	
Echinopsis aurea		Norte de Argentina	Esférico o cilíndrico; flores de color limón con 8 cm de diámetro	Hiberna en lugar fresco a partir de 5 °C	Esta especie fue clasificada por Backeberg como perteneciente al género Lobvia, pero actualmente se incluye en *Echinopsis*	
Echinopsis chamaecereus		Argentina: Tucumán	Tallos cortos y muy ramificados que forman densas matas; flores de color rojo intenso	Pasar el verano al aire libre estimula su crecimiento; mantenerlo en invierno a 5-15 °C	Esta especie todavía es muy conocida por su sinónimo *Chamaecereus silvestrii*; existen híbridos con flores blancas, amarillas, rojas (foto) o lilas	
Echinopsis marsoneri		Norte de Argentina	Generalmente solitario; vistosas flores de color amarillo a rojo con el centro marrón	Le conviene pasar el invierno en lugar seco y fresco a 5-15 °C	Esta especie todavía es muy conocida por su sinónimo *Lobivia jajoiana*	
Echinopsis mirabilis		Argentina: Santiago del Estero	Cirios delgados; sus flores son grandes, aromáticas y se abren a mediodía	Si pasa el invierno en frío hay que mantenerlo seco, con calor hay que regarlo moderadamente	Sigue comercializándose con el nombre de *Setiechinopsis mirabilis*, se le conoce también como «Flor de la Adoración»	
Echinopsis pachanoi San Pedro		Ecuador y Perú	Tallos azulados que florecen al alcanzar una altura de 1-1,5 m; flores blancas muy grandes	Si hiberna con frío hay que mantenerlo seco, con calor hay que regarlo	También conocido como *Trichocereus pachanoi*; contiene alcaloide y es de interés etnobotánico (ver página 25)	
Echinopsis subdenudata		Bolivia: Tarija, provincia de Entre Ríos; probablemente también en Paraguay	Redondo y aplanado; casi sin espinas; produce varias flores blancas al año de hasta 20 cm	En verano hay que cuidar de que no quede a pleno sol al mediodía; inverna a 5-15 °C con buena luz	Existe una variedad muy extendida que produce masas lanosas de color blanco en las areolas	

Hibernar con calor/dentro de casa · Hibernar con frío/especies «clásicas» · Resistente al frío y las heladas

OTRAS ESPECIES DE CACTUS

Nombre	Ubicación	Origen	Morfología	Cuidados	Peculiaridades	Grupo
Eriosyce bulbocalyx	Sol; Verano al aire libre	Norte de Argentina: San Juan y La Rioja	Esférico, solitario; espinas vistosas y curvadas hacia arriba; flores de color amarillo paja	Emplear sólo tierra mineral: le conviene estar al aire libre en verano; hiberna en seco a 5-15 °C	Esta especie todavía suele citarse con su sinónimo de *Pyrrhocactus bulbocalyx*	
Eriosyce napina	Sol; Verano al aire libre	Chile: Atacama, valle del Río Huasco	Esférico, raíces napiformes; flores amarillas, blancas o rojas; areolas con pilosidades	Tierra muy mineral; regar con moderación; en invierno mantener en lugar fresco y seco	Esta especie todavía suele citarse con su sinónimo de *Neochilenia napina*	
Erioscyce senilis subsp. *coimasensis* Cabeza de anciano de Coimas	Sol; Semisombra; Verano al aire libre	Chile: al sur de Las Copimas hasta Monte Negro	Esférico hasta 12 cm; generalmente solitario, florece a finales de temporada, flores de color rosa púrpura	Tierra muy mineral; en pleno verano efectúa un período de reposo durante el cual no hay que regarlo	Esta especie todavía suele citarse con su sinónimo de *Neoporteria coimasensis*	
Gymnocalycium baldianum	Sol; Semisombra; Verano al aire libre	Argentina: Catamarca	Esférico aplanado, 6-7 cm de diámetro; flores de 3-5 cm	Muy adaptable; si pasa el invierno con calor hay que regarlo con moderación, con frío no hay que regarlo	La mayoría de las especies de *Gymnocalycium* producen flores de color blanco, rosa o crema; muy pocas las tienen rojas o amarillas	
Gymnocalycium horstii	Sol; Semisombra; Verano al aire libre	Brasil: Rio Grande do Sul	Al principio esférico y solitario, luego forma grupos; flores de un bonito color rosa	Si está al aire libre no ha de darle el sol de lleno; hiberna con calor o con frío hasta 10-15 °C	Generalmente se comercializa con el nombre de *G. horstii var. buenekeri*	
Gymnocalycium mihanovichii	Sol; Semisombra; Buena iluminación	Variedad artificial, las plantas originales proceden de Paraguay	al carecer de clorofila, la planta adquiere un color rojo, amarillo o rosa	La ausencia de clorofila hace que sea necesario injertar; mantener con calor durante todo el año	La primera variedad roja se obtuvo en 1941 en el vivero japonés de Watanabe al conseguir dos ejemplares rojos a partir de 10.000 semillas	
Mammillaria albicans fo. slevinii	Sol; Verano al aire libre	México: Baja California e islas costeras	Al principio solitario, luego brota y forma matas; flores de color rosa claro	En invierno mantener a 10-15 °C y no regar; con calor a partir de marzo	Conocido también con el sinónimo de *M. slevinii*	

Sol · Semisombra · Buena iluminación · Verano al aire libre

OTRAS ESPECIES DE CACTUS

Nombre	Ubicación	Origen	Morfología	Cuidados	Peculiaridades	Grupo
Mammillaria guelzowiana		México: Durango, zonas rocosas de montaña	Al principio solitario, luego brota; pilosidad blanca, flores de color rojo púrpura	Emplear sólo tierra mineral; es importante que pase el invierno en lugar seco y fresco	Se conoce también con el sinónimo de *Krainzia guelzuowiana*	
Mammillaria surculosa		México: Tamaulipas y Sal Luis Potosí	Forma matas; flores de color amarillo azufre con un aroma ligeramente dulzón	Proteger del sol directo; es importante que pase el invierno en lugar seco y fresco	Se conoce también con el sinónimo de *Dolichothele surculosa*	
Mammillaria vetula subsp. *gracilis*		México: Hidalgo y Querétaro	Tallo pequeño, forma matas; espinas y flores de color blanco; fruto rojo	A partir de octubre, mantener en lugar seco y fresco; en caliente cuando empiece a florecer	También conocido como *M. gracilis*; la variedad 'Antje' es un híbrido de floración tardía que produce flores de color rosa oscuro	
Notocactus crassigibbus		Brasil: Rio Grande do Sul	Redondo aplanado; hasta 17 cm de diámetro, flores de color amarillo azufre con franja roja	Si hiberna con calor hay que regarlo con moderación, con frío hay que regarlo muy poco	Actualmente se acepta el nombre científico de *Parodia crassigibba*	
Notocactus leninghausii		Brasil: Rio Grande do Sul	Cirios cortos que se ramifican con los años; espinas de color amarillo dorado; flores amarillo limón	Si hiberna con calor hay que regarlo con moderación; con frío hay que regarlo muy poco	Actualmente se acepta el nombre científico de *Parodia leninghausii*	
Notocactus mueller-melchersii subsp. *gutierrezii*		Brasil: Rio Grande do Sul	Tallo redondeado a ligeramente alargado; espinas claras; flores rojas	Invernar a temperatura ambiente y con riego moderado, o en frío y sin apenas regar	Actualmente se acepta el nombre científico de *Parodia mueller-melchersii subsp. gutierrezii*; sus flores rojas lo hacen muy atractivo	
Notocactus ottonis		Sur de Brasil, Uruguay y Argentina	Esférico, luego forma matas; flores de color amarillo intenso con líneas de color rojo oscuro	Si hiberna con calor hay que regar con moderación, con frío hay que mantenerlo más seco	Actualmente se acepta el nombre científico de *Parodia ottonis*; produce estolones subterráneos de los que brotan nuevas plantas	

Hibernar con calor/dentro de casa   Hibernar con frío/especies «clásicas»   Resistente al frío y las heladas

OTRAS ESPECIES DE CACTUS

Nombre	Ubicación	Origen	Morfología	Cuidados	Peculiaridades	Grupo
Opuntia aciculata		EE. UU.: Texas; México: Tamaulipas y Nuevo León	Brotes discoidales con las espinas agrupadas en almohadillas de color marrón rojizo	Regar abundantemente en verano; regar con moderación si inverna con calor, en frío no regar	Las espinas de las especies de Opuntia son pequeñas y muy molestas, escuecen y causan prurito en la piel	
Rebutia caniguerallii var. *rauschii*		Bolivia: Departamento de Chuquisaca	Globuloso, forma matas, color negro verdoso a violáceo; flores de color rosa magenta intenso	Mantener en invierno a 5-10 °C y no regar; regar con moderación de primavera a otoño	Conocido también como *Sulcorebutia rauschii*; existen variedades tanto de color violeta oscuro como verde claro	
Rebutia heliosa var. *condorensis*		Bolivia: Tarija, Paso del Cóndor; a más de 2.000 m de altitud	Pequeños tallos globulosos agrupados en matas compactas; flor de color rojo luminoso	Emplear tierra mineral; necesita aire fresco; no regar en invierno y mantener a 5-10 °C	El antiguo nombre de *Aylostera* se aplicaba a los Rebutia que florecen en la mitad inferior del tallo	
Rebutia marsoneri		Norte de Argentina: provincia de Jujuy	Globuloso; espinas cortas y areolas blancas; flores de color amarillo a naranja	En esta especie se incluye también Rebutia krainziana, muy conocido por sus flores de color rojo intenso	Invernar en frío y sin regar; en verano necesita aire fresco	
Rebutia neocumingii		Perú, Bolivia: provincia de Florida	Generalmente solitario; flores muy numerosas de color amarillo dorado a anaranjado	Mantener una humedad uniforme durante el verano; puede invernar con calor, o con frío y sin riego	El antiguo sinónimo es: *Weingartia neocumingii*	
Rebutia pygmaea var. *knizei*		Norte de Argentina: provincia de Jujuy	Planta muy pequeña, forma matas; flores grandes de color amarillo anaranjado	Emplear tierra con un elevado porcentaje mineral; regar uniforme; en invierno con frío a 5-15 °C y sin riego	El color de sus flores es muy raro en el género *Rebutia*	
Tephrocactus alexanderi		Argentina: La Rioja y Salta	Tallo muy curioso y casi esférico; flores grandes de color blanco a rosa	Para que viva bien ha de estar al aire libre y a pleno sol; en invierno a 5-15 °C	Parte de los tefrocactus se consideran opuntias, pero son tan distintos que merecen un género aparte	

Sol Semisombra Buena iluminación Verano al aire libre

OTRAS ESPECIES DE SUCULENTAS

Nombre	Ubicación	Origen	Morfología	Cuidados	Peculiaridades	Grupo
Agave gypsophila		México: Jalisco, Colima, Michoacán y Guerrero; sobre rocas calcáreas o de yeso	Hojas azuladas, curvadas y con el borde aserrado; tallo floral de 2-3 m de altura	Invernar en frío a 5 °C y regar muy poco, o invernar con calor y regar en abundancia	Ideal como planta de interior	
Agave victoria-reginae		México: sur de Coahuila, Nuevo León y noreste de Durango	Rosetas compactas de hojas gruesas con líneas blancas; tallo floral de 3-5 m	Puede invernar a 5 °C o a temperatura ambiental, en este último caso habrá que regar con moderación	Florecen al cabo de muchos años y producen unos tallos florales muy altos; la roseta muere después de la floración, pero sus estolones producen nuevas plantas	
Aloe dichotoma Áloe		Namibia y Sudáfrica: Northern Cape; en laderas rocosas, hasta 9 m de altura	Forma tallos lisos con una corona ramificada (ver página 11)	No tolera menos de 12-15 °C. en invierno es mejor mantenerlo dentro de casa y regarlo de vez en cuando	La ramificación de esta especie se llama dicótoma porque cada vástago se bifurca en dos brotes iguales	
Aloe polyphylla Áloe espiral		Lesotho; laderas rocosas, hasta 2.400 m de altitud	Llega a tener muchas hojas y produce un tallo floral de 50-60 cm; flores de color rosa, rojo o, amarillo	En invierno mantener a 5-10 °C y regar a fondo de vez en cuando	Es una planta muy atractiva pero escasa; en la naturaleza está en peligro de extinción	
Aloe rauhii		Madagascar, entre las rocas de arenisca	Ramifica, hojas manchadas, florece en otoño/invierno, flores de color rosa a rojo	Regar periódicamente, en invierno con moderación; mantener siempre por encima de los 12 °C	Planta ideal para la repisa de la ventana en habitaciones con calefacción	
Aloe squarrosa		Isla de Socotora (Yemen), en acantilados de roca calcárea, a unos 300 m sobre el nivel del mar	Forma pequeñas rosetas que se ramifican por la base; florece al cabo de varios años, 10-20 cm	Muy fácil de cuidar, puede pasar el invierno con calor o con frío hasta 5 °C	Planta muy atractiva con hojas de color verde luminoso con pequeñas manchas blancas	
Aloe variegata		Namibia y Sudáfrica; a la sombra de matorrales y arbustos, sobre suelos duros o pedregosos	Densa formación de hojas con dibujos blancos triangulares; flor de color rojo cinabrio	Puede pasar el invierno con calor o frío, pero no a menos de 10 °C; regar moderadamente en invierno	Es uno de los áloes más bonitos y difundidos	

Hibernar con calor/dentro de casa · Hibernar con frío/especies «clásicas» · Resistente al frío y las heladas

OTRAS ESPECIES DE SUCULENTAS

Nombre	Ubicación	Origen	Morfología	Cuidados	Peculiaridades	Grupo
Crassula columnaris	Sol	Sudáfrica; principalmente en las regiones pedregosas del Karoo	Compacta, un sólo tallo de hasta 7 cm; florece en invierno; flores blancas con aroma dulce	Regar con moderación en primavera y otoño, abundantemente en invierno; no a menos de 15 °C	Dado que florece en invierno, es una de las pocas suculentas que tienen su fase vegetativa cuando las demás están en la de reposo	°C
Crassula híbrida 'Buddha's Tempel'	Sol, Semisombra, Verano al aire libre	Híbrido artificial, es probable que sus antepasados procedan de Sudáfrica y Namibia	Planta compacta con hojas de color verde oscuro; tiene forma de pirámide cilíndrica	Proteger del sol de mediodía; regar frecuentemente pero con precaución; temperatura mínima de 15 °C	Planta cara y muy apreciada	°C
Crassula híbrida 'Morgan's Beauty'	Sol, Semisombra, Verano al aire libre	Híbrido artificial; sus antepasados procedían de sudáfrica	Planta crasa de hojas grises, gruesas, papilosas y aterciopeladas; flores rosas muy tempranas	Puede pasar el invierno con calor o con frío; en este último caso hay que regar muy poco	Planta atractiva y fácil de cuidar, ideal para la repisa de la ventana	°C, °C
Crassula lycopodioides	Sol, Semisombra, Verano al aire libre	Namibia	Tallos de hasta 15 cm con hojas delgadas y sin peciolo; poco ramificada	Regar con moderación durante todo el año; en invierno menos a temperaturas de 10-15 °C	Planta agradecida y atractiva que actualmente ha pasado a denominarse *C. muscosa*	°C
Crassula mesembryanthemopsis	Sol, Verano al aire libre	Sur de Namibia y norte de Sudáfrica: en llanuras con arena de cuarzo	Hojas gruesas y verrucosas en rosetas; forma pequeñas matas; florece en invierno; flores blancas	Emplear sólo tierra mineral; regar muy poco; en invierno 5-15 °C, no regar	Una especie hermosa y poco frecuente	°C
Euphorbia aeruginosa	Sol, Semisombra, Verano al aire libre	Sudáfrica: Transvaal, en grietas de las rocas y en suelos arenosos y profundos	Altura máx. de 15 cm; verde claro a verde azulado con un discreto dibujo; flores amarillo intenso	Regar poco en invierno, mantener por lo menos a 10 °C; multiplicación por esquejes	Su savia es lechosa e irritante como la de todas las euforbias	°C
Euphorbia gottlebei	Sol, Semisombra	Suroeste de Madagascar, acantilados y laderas de roca calcárea recubiertas de vegetación	Tallos espinosos con ramificaciones laterales; hojas pequeñas, flores rojas	En invierno necesita por lo menos 12 °C; regar menos en invierno	En primavera, sus flores de rojos ciatófilos aparecen antes que las hojas	°C

Sol — Semisombra — Buena iluminación — Verano al aire libre

OTRAS ESPECIES DE SUCULENTAS

Nombre	Ubicación	Origen	Morfología	Cuidados	Peculiaridades	Grupo
Euphorbia lophogona x *milii* Espina de Cristo		Variedad artificial obtenida a partir de especies originarias de Madagascar	Arbusto espinoso con hojas verdes y flores de color rosa, rojo, blanco o amarillo	Mantener todo el año a temperatura ambiente ante una ventana con buena luz, regar con frecuencia	Estas nuevas variedades de la espina de Cristo (*E. milii*) florecen durante todo el año y no necesitan fase de reposo	
Euphorbia tirucallii Aveloz		África tropical y subtropical. Península Arábiga, Madagascar, India, Extremo Oriente	Arbustos ramificados o árboles; las hojas se caen con facilidad; flores amarillas	Regar con moderación; invierno con calor o con frío hasta 8 °C	Cuanto menos se la riegue, más fuerte y compacta crecerá la planta; su savia es lechosa y muy irritante	
Haworthia attenuata		Sudáfrica: Eastern Cape	Roseta sin tallos; hojas oscuras con rugosidades transversales; flores blancas	Regar con moderación, muchas de las *Haworthia* tienen su fase vegetativa en otoño e invierno	Planta de hojas muy vistosas e ideal para la repisa de la ventana	
Haworthia springbokvlakensis		Sudáfrica: Eastern Cape	Pequeñas rosetas de hojas bastante gruesas con el extremo traslúcido; flores blancas	Mantener a más de 15 °C; riego moderado, más abundante a partir de otoño ya que crece en invierno	En la naturaleza sólo asoman del suelo sus «ventanas» traslúcidas	
Pachypodium baroni var. *windsorii*		Norte de Madagascar: castillo de Windsor	Tallo en forma de botella con corona ramificada; flores rojas	Mantener por lo menos a 15 °C aunque se caigan las hojas; regar con frecuencia	Típica planta de caudex con una base gruesa; de ahí el nombre del género (*Pachypodium* = pie grueso)	
Pachypodium cactipes		Madagascar	Tallo grueso y muy ramificado; hojas en rosetas; flores amarillas	Regar con frecuencia; en invierno con moderación; no por debajo de 12-15 °C	A pesar de algunas diferencias, actualmente esta especie se considera sinónimo de P. rosulatum; planta de interior agradecida	
Pachypodium lealii subsp. *saundersii*		Sur de Zimbabwe, Sudáfrica hasta el norte de KwaZulu-Natal	Tallo en forma de botella con más hojas hacia el extremo; flores blancas	Mantener por lo menos a 15 °C; dejar que se seque sólo brevemente, regar moderadamente en invierno	Robusta y atractiva planta de interior sin más exigencias	

Hibernar con calor/dentro de casa · Hibernar con frío/especies «clásicas» · Resistente al frío y las heladas

Principios de invierno

- Los cactus «clásicos» pasan su fase de reposo invernal en un lugar fresco; no hay que regarlos.
- Los cactus que pasan el invierno dentro de casa (con calefacción) hay que regarlos un poco cada dos semanas; no abonarlos.
- Los cactus de Navidad necesitan un período seco de 4 semanas después de florecer.
- Semanalmente hay que regar un poco los cactus de Pascua, *Rhipsalis* y las suculentas tales como *Gasteria*, *Haworthia*, *Senecio*, *Pachypodium*, etc.
- Revisar periódicamente las plantas en busca de posibles parásitos.

Mediados de invierno

- Conseguir con tiempo las macetas y la tierra para trasplantes; encargar semillas y accesorios para la siembra.
- Ya se pueden plantar los esquejes de octubre/noviembre del año anterior. Pero habrá que esperar 2 semanas antes de empezar a regarlos.
- Seguir sin regar las plantas que estén en reposo invernal.

Finales de invierno

- Las plantas que estaban en hibernación ya se pueden colocar ante una ventana en una habitación con calefacción; al principio es mejor evitar que les dé el sol directamente durante algunos días.
- Regar las plantas por encima con agua limpia ayudará a despertarlas y estimula el inicio de la fase vegetativa. Regar con moderación.
- No abonar a las suculentas hasta que recupere sus reservas de agua.
- Colocar los semilleros junto a una ventana con buena luz, sin que les dé el sol directamente, cortar esquejes.
- Es el momento de podar los tallos débiles que hayan podido crecer durante el invierno.

El cuidado de los cactus a lo largo del año

Principios de verano

- El aporte de nutrientes de esta temporada será decisivo para la resistencia de la planta durante el invierno y su floración al año siguiente.
- Separar las plantitas que hayan germinado.
- Si se plantan ahora las plantas de exterior podrán alcanzar un buen desarrollo antes del invierno.
- Los esquejes de las euforbia se pueden plantar hasta finales de julio. Cuidar de que tengan la base caliente.
- Ahora se pueden efectuar las podas de rejuvenecimiento y de mantenimiento.

Mediados de verano

- Las raíces de los cactus y otras suculentas siguen creciendo hasta octubre.
- Hay que tener en cuenta que se acerca el final del período vegetativo y que habrá que reducir el aporte de nitrógeno con el abono.
- Muchas suculentas sudafricanas están en pleno desarrollo, por lo que necesitarán mucha agua y nutrientes.
- Todavía se pueden separar plantitas jóvenes de los semilleros.
- Última oportunidad para cambiar de macetas.

Finales de verano

- Reducir el riego y dejar de abonar.
- Si es posible, endurecer las plantas al aire libre y dejando que soporten el fresco de la noche.
- Muchas especies de África Austral se encuentran en pleno desarrollo, pero hay que reducirles el riego para que se vayan adaptando de forma natural a la disminución del fotoperíodo.
- Ya se pueden trasladar al interior las suculentas más sensibles al frío.

Principios de primavera

- Trasplantar las plantitas obtenidas por la siembra del año pasado; se puede empezar a abonar a las que ya hayan crecido.
- Las especies más resistentes se pueden trasladar a un lugar protegido al aire libre; pero hay que adaptarlas progresivamente a la luz solar directa
- Cuando las especies resistentes al frío hayan recuperado su turgencia se puede empezar a abonarlas de nuevo; eliminar las malas hierbas que hubiesen podido aparecer.
- Se puede sembrar y podar hasta julio.

Mediados de primavera

- Las plantas están en pleno crecimiento; necesitan calor, luz, agua y nutrientes en abundancia.
- Las piedras vivas inician su fase vegetativa y hay que regarlas con precaución
- Las nuevas adquisiciones se pueden trasplantar después de la floración.
- Hay que ventilar bien los invernaderos y galerías cerradas para evitar que se estanque el aire caliente, lo cual es muy peligroso para las plantas.
- A partir de mediados de mayo se pueden dejar casi todas las suculentas al aire libre.
- Es el momento de cortar esquejes y realizar injertos.

Finales de primavera

- Es el momento álgido de la fase vegetativa de la mayoría de cactus y suculentas, por lo que habrá que proporcionarles todo lo que necesiten.
- Hay que regar y abonar en abundancia a los cactus de hojas, *Hylocereus* y la Reina de la Noche.
- Abonar de nuevo las especies resistentes al frío que pasan el invierno al aire libre; se pueden añadir plantas nuevas.
- Última oportunidad para cortar esquejes de las euforbia.
- En este mes todavía se puede sembrar.

Para que los cactus y otras suculentas lleguen a florecer con todo su esplendor es imprescindible realizar los trabajos necesarios en el momento oportuno. Este calendario de trabajo le ayudará a saber lo que hay que hacer en cada época del año.

Principios de otoño

- Ya se pueden ir recogiendo las especies más robustas, como por ejemplo los agaves, para trasladarlas al interior.
- Hay que colocar protecciones para las especies resistentes al frío pero sensibles a la lluvia.
- Reducir el riego.
- Revisar las plantas en busca de posibles parásitos, incluso las raíces si fuese necesario.
- Los tallos grandes y robustos se pueden cortar para obtener esquejes; hay que dejar que se sequen hasta la primavera.

Mediados de otoño

- Dejar que se sequen los cepellones de todas las plantas que vayan a hibernar en frío, antes de que inicien la fase de reposo.
- Los cactus de Navidad hay que mantenerlos húmedos por debajo de la inserción de las yemas.
- Regar con moderación las plantas que hibernen con calor; *Lithops* necesita muy poca agua.

Finales de otoño

- Casi todas las especies están en hibernación; es el momento de estudiar las ofertas de los catálogos de semillas.
- Florecen los cactus de Navidad y hay que regarlos periódicamente, evitar las corrientes de aire.
- A *Melocactus*, *Discocactus*, *Uebelmannia*, *Pachypodium* y Aloe hay que mantenerlos a más de 15 °C y no dejar que la tierra llegue a secarse.
- Hay que regar por última vez a las piedras vivas antes de que inicien su fase de reposo.
- Vigilar la presencia de posibles parásitos.

Índice alfabético

Los números en **negrita** hacen referencia a las ilustraciones

F

G

H

I

J

K

L

Debido a las grandes diferencias climáticas y microclimáticas existentes, hemos establecido los criterios hortícolas pensando en un jardín de una zona templada media, sin grandes heladas invernales ni un calor sofocante en verano. Por lo tanto, cada lector deberá adelantar o retrasar las labores correspondientes dependiendo de si su jardín se halla en una zona más cálida o más fría que la media considerada.

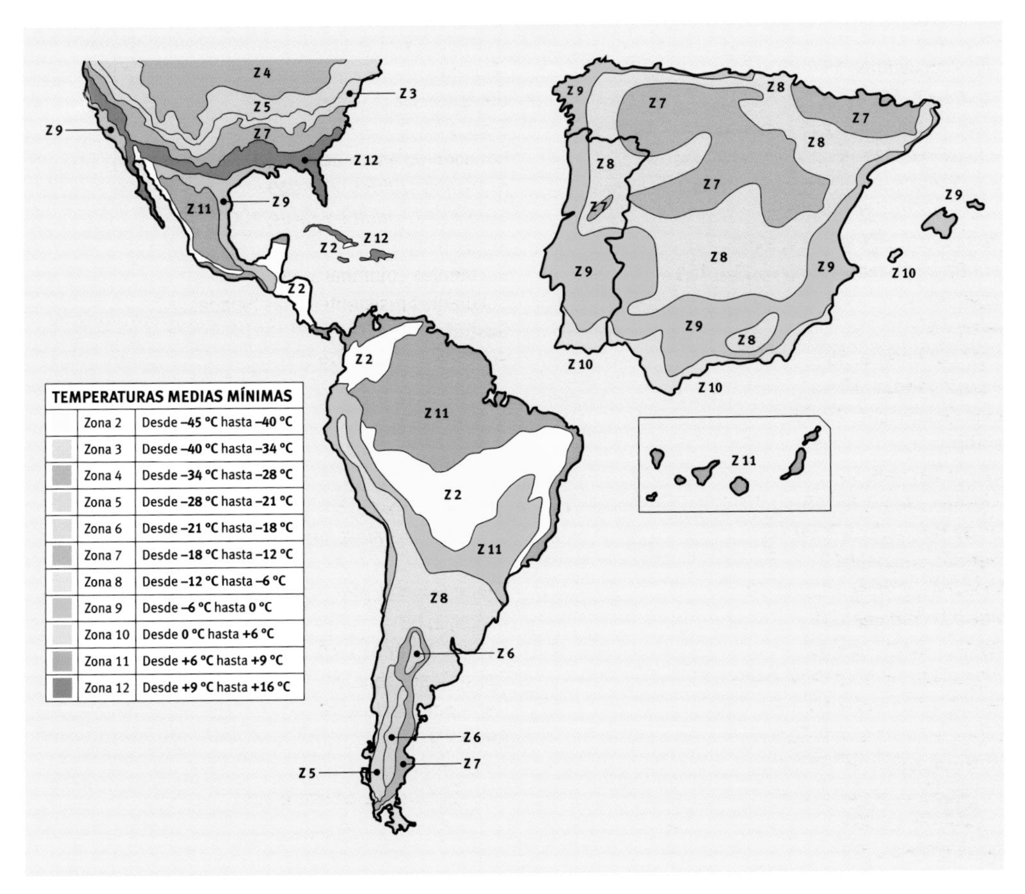

TEMPERATURAS MEDIAS MÍNIMAS		
	Zona 2	Desde −45 °C hasta −40 °C
	Zona 3	Desde −40 °C hasta −34 °C
	Zona 4	Desde −34 °C hasta −28 °C
	Zona 5	Desde −28 °C hasta −21 °C
	Zona 6	Desde −21 °C hasta −18 °C
	Zona 7	Desde −18 °C hasta −12 °C
	Zona 8	Desde −12 °C hasta −6 °C
	Zona 9	Desde −6 °C hasta 0 °C
	Zona 10	Desde 0 °C hasta +6 °C
	Zona 11	Desde +6 °C hasta +9 °C
	Zona 12	Desde +9 °C hasta +16 °C

En las fichas de las especies de cactus y suculentas se indica que la ubicación óptima es junto a una ventana soleada, lo cual es ampliable al jardín o terraza en aquellas zonas de climas más cálidos como las zonas 9, 10 y 11.

Directora de la colección: **Carme Farré Arana**

Título de la edición original: **Kakteen & andere Sukkulenten**

Editorial Hispano Europea, S. A.
Primer de Maig, 21 - Pol. Ind. Gran Via Sud
08908 L'Hospitalet - Barcelona, España.
E-mail: hispanoeuropea@hispanoeuropea.com

Depósito Legal: B. 43590-2008

ISBN: 978-84-255-1821-8

ADVERTENCIAS IMPORTANTES

- Algunas de las plantas descritas en este libro son tóxicas o irritantes. En ningún caso hay que consumirlas como alimento.
- Sitúe sus suculentas de modo que los niños y animales domésticos no puedan herirse con las espinas.
- Guarde los abonos y productos para el cuidado de las plantas en un lugar fuera del alcance de niños y animales domésticos.
- Si se hace alguna herida trabajando con las plantas, deberá ir al médico. Es posible que deban administrarle la vacuna antitetánica.

AGRADECIMIENTO

El autor agradece la colaboración de sus colegas del vivero y el haberle facilitado el trabajo durante la realización de este proyecto. También quiere agradecer a sus hijos por su paciencia. Igualmente desea expresar su agradecimiento a Franz Becherer, al Dr. Boris Schlumpberger y al jardín Botánico de Múnich, así como a la Colección de Suculentas de Zúrich.

ACERCA DEL AUTOR

Matthias Uhlig es maestro jardinero, especializado en cactus. Hace 14 años se hizo cargo del vivero de cactus de su familia, siendo el primer vivero de plantas alemán en ser reconocido por el Convenio de Washington para la protección de las especies. Matthias Uhlig imparte cursos y seminarios para comunicar sus conocimientos a otros aficionados a los cactus. También publica artículos en revistas especializadas y de jardinería.

Crédito de fotografías:

Las fotografías de este libro han sido realizadas por Franz Becherer, a excepción de las siguientes:
Arco Digital Images/Weber: pág. 3 arriba der.; Arco Digital Images/Weyers: pág 4 arriba der.; Corbis/Cummins: portada; Corbis/Lehmann: pág. 4 arriba izq, 25 arriba; Dr. Bolliger: pág. 43 der.; 109, 116 abajo; Busek: págs. 12, 24, 43 cent., 105 izq., 109 izq. 110, 111 arriba, 115, 116; Eggli: págs. 6, 42; Flora Press: págs. 2 arriba, der., 36, 49 abajo; Graf: págs. 23, 43 izq., 53; GU/Köhler: pág. 102 abajo; Haugg: págs. 48, 51, 87 der., 112; Haupt: págs. 34, 35 abajo, 41, 56, 57, 59, 71 arriba, 71 abajo, 71 centro a., 71 centro ab., 71 centro, 74, 76, 77, 80 arriba; Imago/Imagebroker/Giovanni: pág. 7; Imago/Wolf: págs. 11, 17; Kuttig: pág. 64 abajo izqu.; Lavendelfoto/Mueller: pág. 26; Mauritius images/stockimage: pág. 4 abajo izq.; OKAPIA/Klein & Hubert: pág. 82 abajo der.; OKAPIA/Reinhard: pág. 25 abajo; Dr. Schlumpberger: págs. 16, 52, 63 abajo centro, 90, 92 centro, 95 centro, 97 centro, 103 centro, 107 der., 108 centro, 109 centro, 113-3, 114-3, 115 arriba, 116 arriba, 117 abajo, 117-2, 117-3; Schwab-Strinadel KG: pág. 27; Strauss: págs. 1, 2 arriba izq., 2 abajo, 4 abajo der., 19, 20, 30, 37, 48, 49 arriba, 50, 66, 84 arriba, 84 abajo, 102 arriba, 104 centro, 108 der., 118, contrap. der.; Uhlig: págs. 14, 62, 64 abajo der., 65 arriba centro, 65 arriba der., 68, 86 der., 89, 103 der, 104 izq., 104 der., 109 der., 112 abajo, 114-2 abajo, 114-2 arriba; WILDLIFE/Harvey: pág. 82 arriba izq.

Ilustraciones:

Dijujos de Heidi Janicek (13, 15) y iPUBLISH MÜNCHEN (8)

Fotografías de la cubierta y del interior:
Portada: *Echinopsis huascha*; págs. 1: *Thelocactus bicolor*; pág. 2: plantación de agaves (arriba izq.), opuntia en flor (arriba der.), espinas con rocío (abajo izq.), rincón doméstico con dracena y agave (abajo der.); pág. 30: esqueje de hoja (arriba izq.), injerto (arriba der.), trasplante (abajo izq.), riego (abajo der.); pág. 80 *Lithops* (arriba izq.), *Euphorbia horrida* (arriba der.), *Pelecyphora valdeziana* (abajo. izq.), *Opuntia* (abajo. der.)

IMPRESO EN ESPAÑA — PRINTED IN SPAIN

LIMPERGRAF, S. L. - Mogoda, 29-31 (Pol. Ind. Can Salvatella) - 08210 Barberà del Vallès